CHRONIQUES DU BOUT DU MONDE

Titre original : *The Edge Chronicles/*
Beyond the deepwoods
Text & illustrations copyright
© 1998 by Paul Stewart and Chris Riddell
The rights of Paul Stewart and Chris Riddell to be identified
as the authors of this work have been asserted in accordance
with the Copyright, Designs and Patents Act 1988.
This edition is published by arrangement
with Transworld Publishers, a division
of The Random House Group Ltd. All rights reserved.

Pour l'édition française :
© 2008, Éditions Milan,
pour le texte et les illustrations de la présente édition
© 2002, Éditions Milan, pour le texte et les illustrations
de l'édition en grand format
300, rue Léon-Joulin, 31101 Toulouse Cedex 9, France
Loi 49-956 du 16 juillet 1949
sur les publications destinées à la jeunesse
ISBN : 978-2-7459-3117-7
www.editionsmilan.com

PAUL STEWART & CHRIS RIDDELL

Chroniques du bout du monde

LE CYCLE DE SPIC
Par-delà les Grands Bois

Traduit de l'anglais
par Natalie Zimmermann

Milan

GRANDS BOIS

FORÊT DU CLAIR-OBSCUR

LANDE

LA FALAISE

Pour Joseph et William

Introduction

LOIN, TRÈS LOIN, SURPLOMBANT LE VIDE COMME LA PROUE d'un grand bateau de pierre, se dresse la Falaise. Tout au bout, une cascade plonge sans fin par-dessus la corniche rocheuse qui la borde.

Le fleuve, à cet endroit large et précipité, déverse en rugissant ses eaux torrentielles dans les tourbillons brumeux du vide. Il semble difficile de croire que ce fleuve – comme tout ce qui est grand, sonore et gonflé d'importance – puisse jamais avoir été différent. Pourtant, l'Orée a des origines on ne peut plus modestes.

Elle prend sa source très loin, à l'intérieur des terres, au plus profond des Grands Bois sombres et impénétrables. Ce n'est là-bas qu'une petite fontaine bouillonnante qui s'écoule en un mince filet d'eau dans un lit de sable caillouteux, à peine plus large qu'une corde. Mais c'est par mille qu'au plus sombre des Grands Bois, ce filet est multiplié.

Lieu de ténèbres et de profond mystère, les Grands Bois offrent un asile rude et périlleux à ceux qui se prétendent leurs habitants. Et ils sont nombreux. Trolls des bois, égorgeurs, gobelins de brassin, harpies, troglos :

tribus innombrables et populations étranges cherchent à survivre dans la lumière tamisée du soleil et de la lune, sous la voûte élevée de la végétation.

La vie y est difficile et semée de dangers – créatures monstrueuses, arbres carnivores, hordes de bêtes féroces, tant grandes que petites… Mais on y trouve son compte car il y pousse des arbres aux fruits succulents et d'autres au bois d'une incroyable légèreté. Pirates du ciel et marchands de la Ligue s'en disputent le commerce et se mènent une guerre sans merci par-dessus l'océan émeraude de la forêt infinie.

Là où descendent les nuages, s'étend la Lande, une terre désolée de cauchemars, esprits et brouillards tournoyants. Ceux qui se perdent dans la Lande ont le choix entre deux destinées. Les plus chanceux trouveront la mort sans rien voir, en tombant dans le ravin. Les autres se perdront dans la forêt du Clair-Obscur.

Nimbée dans une pénombre dorée, l'enchanteresse forêt du Clair-Obscur présente un charme traître. Une atmosphère enivrante y trouble l'esprit au point que ceux qui la respirent trop longtemps oublient pourquoi ils sont venus – comme ces chevaliers errants qui poursuivent des quêtes depuis longtemps oubliées et qui renonceraient volontiers à la vie… si seulement la vie voulait bien renoncer à eux.

Il arrive que le calme pesant soit perturbé par de violents orages qui éclatent par-delà la Falaise. Attirés par la forêt du Clair-Obscur, comme la paille de fer par l'aimant ou comme les papillons de nuit par la lumière, les orages tournent autour du ciel rougeoyant – parfois pendant des jours d'affilée. Certains de ces orages sont tout à fait spéciaux. Les éclairs qu'ils font naître produisent du phrax de tempête, substance si précieuse qu'elle aussi, malgré les terribles dangers de la forêt du Clair-Obscur, agit comme un aimant, comme une lumière, sur ceux qui veulent se l'approprier.

Lorsqu'elle devient plus rase, la forêt du Clair-Obscur fait place au Bourbier. C'est un endroit pollué et malodorant, pourri par les déjections des usines et des fonderies d'Infraville. Elles déversent en effet leurs déchets depuis si longtemps que la terre y est morte. Et pourtant, comme partout ailleurs sur la Falaise, le Bourbier a ses habitants. Il y a les ramasseurs, les charognards aux yeux rouges, tout aussi délavés que l'environnement dans lequel ils vivent. Certains servent de guides et pilotent ceux qui s'en remettent à eux dans ce paysage désolé de cratères et de boue pestilentielle, avant de les dépouiller de tous leurs biens et de les abandonner à leur destin.

Ceux qui parviennent à franchir le Bourbier se retrouvent dans des enchevêtrements de masures délabrées et de taudis insalubres qui longent les eaux envahissantes de l'Orée. C'est Infraville.

Elle est peuplée de tous les êtres, créatures et tribus étranges de la Falaise, agglutinés dans ses ruelles étroites. Infraville est sale, surpeuplée, et la violence y règne souvent, mais c'est aussi le centre de toute activité économique – y compris des mondes du dessous et du dessus. Elle bourdonne, elle foisonne, elle crépite d'énergie. Tous ceux qui y vivent exercent un commerce particulier, réglementé par une ligue, dans une zone clairement définie. Une telle organisation fait naître des intrigues, des complots, d'âpres compétitions et des querelles perpétuelles – entre zones, entre ligues, entre marchands rivaux.

Le seul ciment qui unit tous les membres de la Ligue des libres marchands, c'est la peur et la haine que leur inspirent les pirates du ciel. Ceux-ci écument en effet la nue au-dessus de la Falaise à bord de leurs navires, et guettent les infortunés marchands qui croiseraient leur chemin.

Au centre d'Infraville, il y a un grand cercle métallique auquel est fixée une très longue et lourde chaîne – tantôt tendue, tantôt lâche – qui s'élève vers le ciel et retient un énorme rocher flottant.

Comme tous les autres rochers flottants de la Falaise, celui-ci a vu le jour dans le Jardin de pierres – il est sorti de terre et n'a cessé de grandir, poussé par les autres pierres qui se développaient en dessous. La chaîne a été fixée à ce rocher lorsqu'il est devenu assez grand et assez léger pour flotter dans les airs. La superbe cité de Sanctaphrax a alors été bâtie à sa surface.

Sanctaphrax, avec ses hautes tours effilées, reliées entre elles par des passerelles et des viaducs, est un centre de connaissance. Elle est peuplée d'universitaires, d'alchimistes et d'étudiants et est équipée de bibliothèques, de laboratoires et de salles de conférences, de réfectoires et de pièces communes. Les matières étudiées là sont aussi obscures que jalousement gardées et, malgré l'atmosphère apparente de bienveillance livresque et surannée, Sanctaphrax est un véritable chaudron bouillonnant de rivalités, de complots et contre-complots, et d'âpres luttes de factions.

Les Grands Bois, la Lande, la forêt du Clair-Obscur, le Bourbier et le Jardin de pierres. Infraville et Sanctaphrax. L'Orée. Autant de noms sur une carte.

Pourtant, chaque nom recèle un millier d'histoires, des histoires consignées sur des parchemins ancestraux, des récits transmis oralement de génération en génération – des récits que l'on raconte encore aujourd'hui.

Comme en témoigne ce qui suit.

CHAPITRE 1

La cabane Picabois

S PIC S'ASSIT PAR TERRE, ENTRE LES GENOUX DE SA MÈRE, et pelotonna ses orteils contre l'épais tapis en poil de tilde. La cabane était froide et pleine de courants d'air. Spic se pencha pour ouvrir la lucarne du poêle.

– Je veux te raconter comment tu as reçu ton nom, lui dit sa mère.

– Mais je connais déjà cette histoire, Maman d'amour, protesta Spic.

Spelda poussa un soupir. Spic sentait le souffle chaud de sa mère contre sa nuque, et l'odeur des tigelles au vinaigre qu'elle avait mangées au déjeuner. Il fit la grimace. Il détestait les tigelles, surtout au vinaigre, comme il détestait la plupart des aliments dont raffolaient les trolls des bois. C'était visqueux et ça sentait l'œuf pourri.

– Cette fois, ce sera un peu différent, promit sa mère. Cette fois, je te raconterai l'histoire jusqu'au bout.

Spic se rembrunit.

– Je croyais que j'avais déjà entendu la fin.

Spelda ébouriffa les épais cheveux noirs de son fils.

Il a grandi si vite, pensa-t-elle en essuyant une larme au bout de son petit nez caoutchouteux.

– Une histoire peut avoir bien des fins, dit-elle tristement en regardant la lueur pourpre du feu se refléter sur
les pommettes hautes et le menton aigu de Spic. Dès l'instant où tu es né, commença-t-elle, comme elle commençait toujours, tu as été différent…

Spic hocha la tête. Cela avait été pénible, si pénible,
d'être différent pendant qu'il grandissait. Mais maintenant, cela l'amusait de penser à la surprise de ses parents
lorsqu'ils l'avaient découvert : brun, les yeux verts, la peau
lisse et, déjà, des jambes incroyablement longues pour un
troll des bois. Il contempla le foyer.

Le ricanier brûlait très bien. Des flammes violacées
dansaient tout autour des grosses bûches qui gigotaient et
se bousculaient à l'intérieur du poêle.

Les trolls avaient à choisir entre de nombreux bois
différents, et chaque essence avait ses propriétés particulières. Le fragrantin, par exemple, brûlait en dégageant

un parfum qui plongeait ceux qui le respiraient dans un sommeil peuplé de rêves. L'arbre aux berceuses, d'un beau turquoise argenté, se mettait à chanter dès que les flammes léchaient son écorce – des chants étranges et funèbres, il est vrai, et loin d'être du goût de tout le monde. Et puis il y avait le carnasse, toujours flanqué de son parasite attitré, une liane hérissée de piquants qu'on appelait sanguinaria.

Se procurer du bois de carnasse n'allait pas sans péril. Le troll des bois qui ne connaissait pas son arbologie sur le bout des doigts risquait fort de faire les délices de cet arbre – car le carnasse et la sanguinaria comptaient parmi les dangers les plus redoutables des Grands Bois ténébreux.

Il est certain que le bois de carnasse dégageait beaucoup de chaleur, qu'il ne sentait rien et ne chantait pas, mais ses cris et ses gémissements dès qu'il se mettait à brûler en décourageaient plus d'un. Non, chez les trolls des bois, c'était décidément le ricanier qui avait la faveur de tous. Il brûlait bien, et ils trouvaient sa lueur violacée apaisante.

Spic bâilla, et Spelda poursuivit son récit. Elle avait une voix haut perchée et gutturale comme un gargouillis dans le fond de sa gorge.

– À quatre mois, tu marchais déjà, disait-elle.

Spic percevait la fierté dans la voix de sa mère. La plupart des enfants trolls restaient à quatre pattes jusqu'à dix-huit mois bien sonnés.

– Mais… murmura Spic.

Attiré malgré lui par le fil du récit, il anticipait déjà la suite. Le moment du « mais » était arrivé. Et, comme à chaque fois, Spic frissonna et retint son souffle.

– Mais, fit-elle, tu avais beau être très en avance physiquement, tu ne voulais pas parler. Tu avais trois ans, et pas un seul mot n'était sorti de ta bouche ! Et inutile de te dire, continua-t-elle en se tournant sur son siège, à quel point cela pouvait être grave !

Une fois encore, sa mère soupira. Une fois encore, Spic fit une grimace de dégoût en sentant son haleine vinaigrée. Quelque chose qu'Étoupe lui avait dit un jour lui revint à l'esprit : « Ton nez sait d'où tu viens. » Spic avait cru comprendre qu'il reconnaîtrait toujours l'odeur particulière de son foyer. Mais s'il s'était trompé ? Si le vieil elfe des chênes avait en fait voulu dire – de façon détournée, comme d'habitude – que si son nez n'appréciait pas ce qu'il sentait, c'était que ce foyer n'était pas vraiment le sien ?

Spic se sentit coupable et déglutit. Il avait tellement espéré que cela fût vrai, allongé sur sa couchette après une nouvelle journée de moqueries, de chahut et de bousculades.

Par la fenêtre, le soleil déclinait dans le ciel tacheté. La silhouette en zigzag des pins des Grands Bois s'illuminait comme des éclairs gelés. Spic savait qu'il neigerait avant le retour de son père, ce soir-là.

Il pensa à Tontin, parti dans les Grands Bois, bien au-delà de l'arbre d'ancrage. Peut-être en ce moment même était-il en train de planter sa hache dans le tronc d'un carnasse ? Spic frissonna. Les récits de son père l'avaient bien souvent rempli d'horreur par des nuits trop lugubres. Quoique maître sculpteur, Tontin Picabois gagnait surtout sa vie en réparant illégalement les navires des pirates du ciel. Cela impliquait d'utiliser du bois léger – et le plus léger de tous était le bois de carnasse.

Spic ne savait pas trop ce que son père éprouvait pour lui. À chaque fois que Spic rentrait à la maison avec le nez en sang, un œil au beurre noir ou ses vêtements couverts de boue, il aurait voulu que son père le prenne dans ses bras pour le réconforter. Au lieu de quoi, Tontin lui prodiguait des conseils et le houspillait :

– Mets-leur le nez en sang, lui avait-il dit un jour. Fiche-leur les yeux au beurre noir. Et jette-leur dessus non pas de la boue mais de la crotte ! Montre-leur de quoi tu es capable.

Plus tard, alors qu'elle appliquait un onguent aux baies de cicatre sur ses blessures, sa mère lui avait expliqué que Tontin ne cherchait qu'à le préparer aux duretés du monde extérieur. Mais Spic n'était pas convaincu. Il avait cru lire trop de mépris dans les yeux de Tontin.

Spic enroula machinalement une mèche de ses longs cheveux noirs autour de son doigt, pendant que Spelda continuait son histoire.

– Les noms, disait-elle. Que serions-nous, nous trolls des bois, sans eux ? Ils apprivoisent les créatures sauvages et nous donnent notre identité. Jamais ne bois de breuvage sans nom, dit le dicton. Oh ! Spic, comme je m'inquiétais de voir qu'à trois ans, tu n'avais toujours pas de nom.

Spic frissonna. Il savait qu'un troll des bois qui mourait sans nom était condamné à errer pour l'éternité en plein ciel. Le problème, c'est que tant qu'un enfant n'avait pas prononcé son premier mot, le rituel du prénom ne pouvait avoir lieu.

– Je ne disais vraiment rien, Maman d'amour ? demanda Spic.

Spelda détourna les yeux.

– Pas un mot ne franchissait tes lèvres. Je me disais que tu étais peut-être comme ton arrière-grand-père Siffleux. Il n'a jamais parlé non plus, commenta-t-elle en soupirant. Donc, lors de ton troisième anniversaire, j'ai décidé d'accomplir le rituel quand même. Je…

– Est-ce que l'arrière-grand-père Siffleux me ressemblait ? l'interrompit Spic.

– Non, Spic, lui répondit Spelda. Jamais un Picabois, ni aucun autre troll des bois d'ailleurs, ne t'a ressemblé.

Spic tira sur sa mèche de cheveux, puis demanda :

– Est-ce que je suis laid ?

Spelda se mit à rire. Ses joues tombantes se dégonflèrent et ses petits yeux gris anthracite disparurent sous des plis de peau tannée.

– Moi, je ne trouve pas, dit-elle.

Puis elle se pencha en avant et entoura la poitrine de Spic de ses longs bras pour ajouter :

– Tu seras toujours mon beau garçon. Bon, reprit-elle après une pause, où en étais-je ?

– Au rituel du prénom, lui rappela Spic.

Il avait entendu si souvent cette histoire qu'il ne pouvait plus faire la part du souvenir et de ce qu'on lui avait raconté. Au lever du soleil, Spelda avait pris le sentier qui conduisait à l'arbre d'ancrage. Elle s'était attachée à son tronc puissant puis s'était enfoncée dans la sombre forêt. C'était très dangereux, non seulement à cause des périls invisibles qui vous guettaient dans les Grands Bois, mais aussi parce qu'il y avait toujours le risque que la corde casse. La plus grande terreur des trolls était de se perdre.

Ceux qui s'écartaient du sentier et s'égaraient devenaient vulnérables aux attaques du luminard – la plus sauvage de toutes les créatures sauvages des Grands Bois. Chaque troll des bois vivait dans la terreur constante de croiser cette terrible bête. Spelda elle-même avait souvent agité devant ses autres enfants la menace de ce croque-mitaine de la forêt : « Si tu n'arrêtes pas d'être un vilain petit troll des bois, le luminard te prendra ! » disait-elle.

Spelda s'enfonçait toujours plus loin dans les profondeurs des Grands Bois. Partout autour d'elle, la forêt résonnait des hurlements et cris divers des bêtes tapies dans l'ombre. Elle touchait les amulettes et porte-bonheur qu'elle gardait autour du cou, et priait pour un retour rapide et sans dommage.

Lorsqu'elle arriva enfin au bout de sa corde, Spelda tira un couteau – un couteau à prénom – de sa ceinture. Ce couteau était important. Il avait été fabriqué exprès pour son fils, comme on fabriquait un couteau pour chaque enfant troll. Il était essentiel pour l'attribution du prénom et, quand un petit troll arrivait à l'âge de raison, on lui remettait son propre couteau à prénom.

Spelda en saisit fermement le manche, tendit le bras et, comme l'exigeait la procédure, trancha un morceau de bois de l'arbre le plus proche. C'était ce petit fragment des Grands Bois qui devait annoncer le prénom de son enfant.

Spelda travailla vite. Elle ne savait que trop combien le bruit même du couteau sur l'écorce risquait d'attirer

la curiosité, voire la convoitise meurtrière de certains. Dès qu'elle eut terminé, elle coinça le bout de bois sous son bras, refit le même chemin en sens inverse, se détacha de l'arbre d'ancrage et retourna à la cabane. Là, elle embrassa deux fois le morceau de bois et le jeta dans le feu.

– Avec tes frères et sœurs, les noms sont venus aussitôt, raconta Spelda. Pilune, Labosse, Frairabou ; clair comme je t'entends. Mais avec toi, le bois n'a fait que crépiter et siffler. Les Grands Bois avaient refusé de te donner un nom.

– Et pourtant, j'ai un prénom, remarqua Spic.

– Effectivement, répondit Spelda. Grâce à Étoupe.

Spic hocha la tête. Il se rappelait parfaitement ce moment. Étoupe venait de rentrer au village après une longue absence. Spic se souvenait de la joie des trolls des bois en retrouvant l'elfe des chênes. Car Étoupe, véritable savant en matière d'arbologie, était leur conseiller, leur maître, leur oracle. C'est vers lui que tous les trolls des bois se tournaient lorsqu'ils avaient un problème.

– Il y avait déjà foule sous le vieil arbre aux berceuses, quand nous sommes arrivés, poursuivit Spelda. Étoupe était assis dans son cocon d'oisoveille. Il racontait où il avait été et ce qu'il avait vu au cours de ses voyages. Mais, à l'instant où il m'a vue, ses yeux se sont ouverts tout grands et ses oreilles ont pivoté. Il m'a demandé ce qui se passait. Alors je le lui ai dit. Je lui ai tout dit. Lui, il m'a répondu : « Oh, par la sève des bois, ressaisis-toi. » et puis il a pointé le doigt sur toi et m'a demandé : « Dis-moi, qu'est-ce qu'il a autour du cou ? » « C'est son doudou, je lui ai répondu. Il ne laisse personne y toucher. Et il ne veut pas s'en séparer non plus. Un jour, son père a essayé de le lui prendre – il disait qu'il avait passé l'âge de ce genre de choses. Mais alors, le petit s'est roulé en boule et a pleuré jusqu'à ce qu'on le lui rende. »

Spic savait ce qui allait venir. Il l'avait déjà entendu tant de fois.

– Alors, Étoupe a dit : « Donne-le-moi », et il a plongé dans ton regard ses grands yeux noirs – tous les elfes des chênes ont ces yeux-là. Ils peuvent voir les parties du monde qui restent invisibles aux autres.

– Et je lui ai donné mon doudou, murmura Spic.

Même maintenant, il n'aimait pas que l'on y touche et le gardait noué bien serré autour du cou.

– Ça, tu peux le dire, reprit Spelda. Et j'ai encore peine à y croire aujourd'hui. Mais ce n'est pas tout, oh, non !

– Oh, non ! répéta Spic.

– Il a pris ton doudou et il l'a comme qui dirait caressé, avec beaucoup de douceur, comme s'il avait été vivant. Et puis il a suivi du bout du doigt, avec une infinie légèreté, le dessin qu'il y avait dessus. Enfin, il a dit : « Un arbre aux berceuses », et j'ai vu tout de suite qu'il avait raison. J'avais toujours cru que c'était un joli dessin qui ne voulait rien dire, juste des petits points et des tortillons ; mais non, c'était bien un arbre aux berceuses, aussi évident que le nez au milieu de ta figure.

Spic se mit à rire.

– Et le plus curieux, c'est que ça ne te gênait pas que le vieil Étoupe touche à ton doudou. Tu restais assis, sans rien dire, la mine grave. Alors il a encore plongé son regard dans le tien, et il a dit d'une voix douce : « Tu fais partie des Grands Bois, petit bonhomme silencieux. Le rituel du prénom n'a pas fonctionné, mais tu fais partie des Grands Bois… partie des Grands Bois », il a répété,

le regard soudain vitreux. Puis il a relevé la tête et ouvert grands les bras. « Il s'appellera… »

– … Spic ! s'exclama Spic, incapable de garder le silence une seconde de plus.

– Exactement, fit Spelda en riant. Ça t'est venu tout seul, comme ça. Spic ! C'est le premier mot que tu aies jamais prononcé. Et puis Étoupe a dit : « Il faut bien veiller sur lui car cet enfant est spécial. »

Il n'avait pas dit différent mais spécial. C'était cette nuance qui lui avait permis de tenir quand les autres enfants trolls l'avaient impitoyablement persécuté. Pas un jour ne s'était écoulé sans que survienne au moins un incident. Mais le pire s'était produit lorsqu'il avait été attaqué, pendant ce funeste match de trock.

Jusque-là, Spic avait bien aimé ce sport. Non qu'il s'y montrât très doué, mais l'excitation de la poursuite lui avait toujours plu – et le trock impliquait de beaucoup courir.

Cela se jouait sur un grand terrain carré situé entre le bout du village et la forêt. L'aire de jeu était sillonnée de sentiers battus par des générations de jeunes trolls. Entre ces sentiers de terre, l'herbe poussait haute et drue.

Les règles du jeu étaient simples. Il y avait deux équipes, chacune composée d'autant de joueurs qu'il y avait de trolls désireux de jouer. Le jeu consistait à tenter d'attraper le ballon de trock – une vessie de hammel à cornes bourrée de pois de trock séchés – et de faire douze pas en courant et en les comptant à voix haute. Quand on

y arrivait, on avait le droit de tirer vers le panier central, ce qui pouvait, en cas de réussite, doubler le score. Mais, comme le terrain était souvent glissant, le ballon toujours fuyant et que l'équipe adverse cherchait par tous les moyens à vous arracher la balle, ce n'était pas aussi facile que cela aurait pu paraître. En huit ans de pratique, Spic n'avait encore jamais réussi à marquer un trock.

Le matin en question, personne n'avait eu beaucoup de chance. De grosses pluies avaient détrempé le terrain, et la partie ne cessait d'être interrompue car les trolls sortaient les uns après les autres des limites du terrain boueux.

Ce n'est qu'au troisième quart-temps que le ballon atterrit enfin assez près de Spic pour qu'il s'en empare et se mette à courir.

– UN, DEUX, TROIS… hurla-t-il, le ballon coincé sous le coude de son bras gauche.

Il courait sur les sentiers qui menaient au centre du terrain. Mieux valait se rapprocher au maximum du panier pour tenter de marquer une fois qu'on arriverait au douzième pas.

– QUATRE, CINQ…

Une demi-douzaine de membres de l'équipe adverse arrivaient en face. Il plongea dans un chemin sur la gauche. Ses adversaires le prirent en chasse.

– SIX, SEPT…

– À moi, Spic ! À moi ! lui criaient ses partenaires. Passe le ballon !

Mais Spic refusait de le passer. Il voulait marquer. Il voulait entendre les acclamations de son équipe, sentir leurs mains lui donner des claques dans le dos. Pour une fois, il voulait être le héros.

– HUIT, NEUF…

Il se retrouva encerclé.

– PASSE-LE-MOI !

C'était Grognasson, qui l'appelait depuis l'autre bout du terrain. Spic savait que s'il lui lançait le ballon maintenant, son ami aurait une bonne chance de marquer. Mais cela ne suffisait pas. On se rappelait qui avait marqué, pas qui avait amené le panier. Spic voulait que tout le monde se souvienne de lui, et voulait donc marquer lui-même.

Il s'immobilisa. La moitié de l'équipe adverse était presque sur lui. Il ne pouvait plus avancer. Il ne pouvait plus reculer. Il chercha le panier des yeux. Si proche, et cependant si inaccessible. Néanmoins, il voulait marquer. Il le voulait plus que tout au monde.

Tout à coup, une petite voix dans sa tête lui glissa : « Mais où est le problème ? Les règles ne disent pas qu'il faut rester sur les sentiers. » Spic regarda derrière lui, en direction du panier, et déglutit nerveusement. L'instant d'après, il fit ce qu'aucun troll des bois n'avait jamais fait : il sortit du chemin. Les herbes hautes fouettaient ses jambes nues tandis qu'il fonçait vers le panier.

– DIX, ONZE… DOUZE ! hurla-t-il, avant de lancer le ballon en plein dans le panier. Un trock ! reprit-il en regardant joyeusement autour de lui. Un coup à vingt-quatre points ! J'ai marqué un tro…

Il s'interrompit. Les trolls des deux équipes le foudroyaient tous du regard. Il n'y avait ni applaudissements ni claques dans le dos.

– Tu as quitté le chemin, cria l'un des garçons.

– Personne ne quitte jamais le chemin, renchérit un autre.

– Mais… mais… bredouilla Spic. Il n'y a pas de règle qui interdise…

Mais les autres trolls ne l'écoutaient pas. Ils savaient, bien sûr, qu'il n'y avait pas de règle stipulant qu'il fallait rester sur les sentiers – mais pourquoi y en aurait-il eu ? Au trock comme dans la vie, les trolls des bois ne s'écartaient jamais des chemins. C'était implicite. Formuler une telle règle aurait été aussi absurde que d'en établir une pour leur dire de ne pas arrêter de respirer !

Tous en même temps, comme mus par un signal convenu entre eux, les trolls des bois fondirent sur Spic.

– Pauvre taré maigrichon ! crièrent-ils en le bourrant de coups de pied et de poing. Sale dégénéré à faire peur !

Une douleur épouvantable transperça soudain le bras de Spic. Il avait l'impression qu'on le marquait au fer rouge. Il leva les yeux et vit une main aux terribles doigts

en spatule tordre vicieusement la chair tendre de son avant-bras.

– Grognasson… murmura Spic.

Les Picabois et les Trapenœud étaient voisins. Grognasson et lui étaient nés à une semaine d'intervalle et avaient grandi ensemble. Spic croyait qu'ils étaient amis. Grognasson ricana et le pinça plus fort encore. Spic se mordit la lèvre inférieure et lutta contre les larmes. Pas à cause de sa douleur au bras – cela, il pouvait le supporter –, mais parce que Grognasson s'était à son tour retourné contre lui.

Lorsque Spic rentra en clopinant chez Spelda, meurtri, tuméfié et ensanglanté, ce qui le faisait le plus souffrir était d'avoir perdu son seul ami. À présent, parce qu'il était différent, il était également tout seul.

– Spécial ! répéta Spic avec un petit ricanement.

– Oui, fit Spelda. Même les pirates du ciel l'ont compris tout de suite en te voyant, ajouta-t-elle doucement. C'est pour ça que ton père… (sa voix se brisa) que nous… c'est pour ça que tu dois partir.

Spic se figea. Partir ? Qu'est-ce qu'elle voulait dire ? Il se retourna pour regarder sa mère. Elle pleurait.

– Je ne comprends pas, fit-il. Tu veux que je parte ?

– Bien sûr que je ne le veux pas, Spic, sanglota-t-elle. Mais tu auras treize ans dans moins d'une semaine. C'est l'âge de raison. Et qu'est-ce que tu feras alors ? Tu ne peux pas être bûcheron comme ton père. Tu… n'es pas bâti pour ça. Et où vas-tu vivre ? La cabane est déjà trop petite pour toi. Et maintenant que les pirates du ciel sont au courant…

Spic ne cessait d'entortiller sa mèche de cheveux. Trois semaines plus tôt, il avait accompagné son père loin dans les Grands Bois, là où les trolls abattaient et travaillaient le bois pour le vendre aux pirates du ciel.

Quand son père pouvait marcher debout sous les branches les plus basses, Spic devait se baisser. Et cela ne suffisait pas toujours. Il lui arrivait de se cogner la tête, et son crâne avait fini par devenir un ramassis d'écorchures douloureuses. À la fin, Spic n'avait plus eu d'autre choix que de marcher à quatre pattes jusqu'à la clairière.

– Notre dernière recrue pour l'abattage, avait annoncé Tontin au pirate du ciel venu passer commande ce matin-là.

Le pirate avait levé les yeux de son bloc pour jauger Spic.

– Trop grand, on dirait, avait-il commenté avant de se replonger dans ses papiers.

Spic contempla le pirate du ciel. Celui-ci se tenait très droit et paraissait magnifique avec son tricorne et sa cuirasse équipée, ses fausses ailes et ses favoris bien cirés. Son manteau était rapiécé par endroits, mais n'en était pas moins splendide, avec son col à dentelles, ses glands, ses boutons dorés et ses galons. Chacun des nombreux objets fixés à des crochets spéciaux semblait porteur d'aventures innombrables.

Spic se prit à rêver : contre qui s'était battu le pirate du ciel avec ce sabre au manche incrusté de joyaux, et qu'est-ce qui avait fait cette entaille dans la longue lame recourbée ? Il se demanda quelles merveilles le pirate avait pu voir avec sa lunette, quelles murailles il avait escaladées avec ses grappins, vers quelles lointaines contrées sa boussole l'avait mené.

Soudain, le pirate releva la tête. Il surprit le regard de Spic et affecta une mine interrogatrice. Spic baissa les yeux.

– Vous savez, commença le pirate à l'adresse de Tontin, il y a toujours place pour un grand jeune homme sur un navire de l'air.

– Non, répliqua sèchement Tontin. Votre proposition nous flatte, ajouta-t-il plus poliment. Mais non.

Tontin pensait que son fils ne tiendrait pas dix minutes à bord d'un navire. Les pirates du ciel étaient des vauriens paresseux et cyniques. Ils pouvaient vous trancher la gorge comme un rien. Les trolls continuaient de traiter avec eux simplement parce qu'ils payaient bien le bois flottant des Grands Bois.

Le pirate du ciel haussa les épaules.

– C'était juste une idée comme ça, dit-il en se détournant. Dommage, quand même, marmonna-t-il encore.

Tout en revenant comme il pouvait des Grands Bois derrière son père, Spic songeait aux navires qu'il avait vus voler au-dessus de lui, toutes voiles dehors, s'élevant dans les airs avant de disparaître dans le lointain.

– Écumer les cieux, chuchota-t-il, et les battements de son cœur s'accélérèrent.

Il doit y avoir pire à faire, pensa-t-il.

Mais ce n'était pas l'avis de Spelda, là-bas, dans la cabane.

– Oh ! Ces pirates du ciel ! grommela-t-elle. Pour commencer, Tontin n'aurait jamais dû t'emmener. Maintenant, ils vont revenir te chercher, aussi sûr que je m'appelle Spelda Picabois !

– Mais le pirate du ciel que j'ai vu avait l'air de se moquer que j'embarque ou pas avec eux, assura Spic.

– Ça, c'est ce qu'ils disent ! fit Spelda. Mais regarde ce qui est arrivé à l'Empoté et à Chiendent. Ils ont été enlevés dans leur lit, et on ne les a plus jamais revus. Oh, Spic ! je ne pourrais pas supporter que cela puisse t'arriver. Ça me briserait le cœur.

Dehors, le vent hurlait dans les Grands Bois touffus. L'obscurité tombait, et la forêt résonnait du bruit des créatures nocturnes qui s'éveillaient. Les fromps crachaient en toussotant, les quarels piaillaient, et l'ours bandar géant frappait sa poitrine velue et jodlait pour appeler sa compagne. Spic parvenait à peine à reconnaître au loin le martèlement rythmé et familier des égorgeurs, encore en plein travail.

– Qu'est-ce que je dois faire, alors ? demanda doucement Spic.

Spelda renifla.

– Pour le moment, il faut que tu partes chez ton cousin Futaille, dit-elle. Nous lui avons déjà envoyé un message et il t'attend. Jusqu'à ce que les choses se calment, ajouta-t-elle. Si le ciel le veut bien, tu seras en sécurité là-bas.

– Et après ? fit Spic. Je pourrai rentrer, après ?

– Oui, répondit Spelda avec lenteur.

Spic comprit tout de suite qu'elle ne lui avait pas tout dit.

– Mais ? questionna-t-il.

Spelda se mit à trembler et serra la tête de l'enfant contre sa poitrine.

– Oh, Spic ! mon beau garçon, sanglota-t-elle. Il y a autre chose qu'il faut que je te dise.

Spic s'écarta et contempla le visage bouleversé de sa mère. Lui aussi pleurait maintenant à chaudes larmes.

– Qu'est-ce que c'est, Maman d'amour ? demanda-t-il nerveusement.

– Ô Luminard ! jura Spelda. Ce n'est pas facile.

Elle regarda le garçon à travers ses larmes.

– Même si je t'aime comme une mère depuis le premier jour, Spic, tu n'es pas mon fils. Et Tontin n'est pas ton père.

Spic la dévisageait avec incrédulité.

– Mais qui je suis, alors ? finit-il par demander.

– Nous t'avons trouvé, expliqua-t-elle avec un haussement d'épaules impuissant. Un petit paquet enveloppé dans un châle, au pied de notre arbre.

– Vous m'avez trouvé ? murmura Spic.

Spelda hocha la tête, se pencha en avant et effleura le bout de tissu noué autour du cou du garçon. Spic cilla.

– Mon doudou ? fit-il. C'est le châle ?

Spelda poussa un soupir.

– Celui-là même. C'est le châle dans lequel tu étais. Le châle dont tu n'as jamais voulu te séparer, même aujourd'hui.

Spic caressa l'étoffe d'une main tremblante. Il entendit Spelda renifler.

– Oh ! mon Spic, reprit-elle. Même si nous ne sommes pas tes vrais parents, Tontin et moi t'avons toujours aimé comme notre fils. Tontin m'a demandé de te dire… au revoir pour lui… fit-elle avant de s'interrompre, submergée par le chagrin. Il m'a demandé de te dire que… quoi qu'il arrive, tu ne dois jamais oublier… qu'il t'aime.

Maintenant que l'aveu était fait, Spelda s'abandonna totalement à sa douleur. Elle poussa des plaintes à fendre l'âme, le corps secoué de sanglots incontrôlés.

Spic s'agenouilla et entoura sa mère de ses bras.

– Il faut donc que je parte bientôt, commenta-t-il.

– Cela vaudrait mieux, répondit Spelda. Mais tu reviendras, Spic, n'est-ce pas ? fit-elle d'une voix hésitante. Crois-moi, mon tout beau, j'aurais préféré ne jamais avoir à te dire la fin de l'histoire, mais…

– Ne pleure pas, dit Spic. Ce n'est pas la fin de l'histoire.

Spelda leva les yeux et renifla.

– Tu as raison, dit-elle avant de sourire bravement. C'est plutôt le début, tu ne trouves pas ? Oui, c'est ça, mon Spic. C'est un nouveau départ.

Chapitre 2

L'aérover

LES BRUITS DES GRANDS BOIS RÉSONNAIENT TOUT AUTOUR de Spic, alors qu'il suivait le sentier à travers les arbres. Il frissonna, resserra son foulard autour de son cou et remonta le col de sa veste de peau.

Il n'avait pas eu du tout l'intention de partir ce soir-là. Il faisait si froid et si sombre. Mais Spelda avait insisté.

– Ne jamais remettre au lendemain ce qu'on peut faire le jour même, avait-elle répété plusieurs fois en rassemblant tout ce dont Spic aurait besoin pour le voyage.

Il y avait une flasque de cuir, une corde, un petit sac de nourriture et, plus précieux que tout, son couteau à prénom, signe que Spic avait enfin atteint l'âge adulte pour les trolls.

– Et puis, tu sais ce qu'on dit, avait-elle ajouté en accrochant deux amulettes de bois autour du cou de son fils. Départ de nuit, arrivée de jour.

Spic savait que Spelda s'efforçait de faire bonne figure.

– Mais sois prudent, insista-t-elle. Il fait sombre là-bas, et je sais comment tu es, toujours en train de rêver, de traîner et de te demander ce qu'il y a un peu plus loin.

– Oui, Maman, répondit Spic.

– Arrête avec tes « oui, Maman », grogna Spelda. C'est très important. Et surtout, rappelle-toi : ne t'écarte pas du sentier si tu ne veux pas croiser le terrible luminard. Nous, les trolls des bois, nous ne nous écartons jamais du sentier.

– Mais je ne suis pas un troll des bois, marmonna Spic, les larmes lui piquant les yeux.

– Tu es mon petit garçon, assura Spelda en le serrant très fort. Suis le sentier. Les trolls des bois s'y connaissent. Et maintenant, vas-y et embrasse le cousin Futaille pour moi. Tu seras de retour en moins de temps qu'il n'en faut pour le dire. Tout sera bientôt comme avant.

Tu verras...

Spelda ne put terminer. Les larmes dévalaient ses joues. Spic se retourna et s'enfonça dans l'obscurité, le long du sentier plein d'ombres.

Comme avant, songea-t-il. Comme avant ! Je ne veux pas que les choses redeviennent comme avant. Comme avant, c'est les parties de trock. Comme avant, c'est abattre des arbres. Comme avant, c'est être toujours laissé-pour-compte, ne faire partie de rien ; et pourquoi en irait-il autrement chez le cousin Futaille ?

Être enrôlé dans l'équipage d'un de ces navires des airs lui parut soudain plus tentant que jamais. Les pirates du ciel écumaient les nues au-dessus des Grands Bois. Leurs aventures aériennes ne pouvaient manquer d'être plus vivables que tout ce qui se passait ici, au ras du sol.

Un hurlement de douleur fusa parmi les arbres. Pendant une seconde, les Grands Bois se figèrent. Puis les bruits de la nuit revinrent avec plus de vigueur encore, comme si chaque créature se réjouissait de ne pas être celle qui était tombée entre les griffes du prédateur.

Tout en poursuivant sa marche, Spic entreprit de reconnaître les créatures qu'il entendait au plus profond des bois sournois. Cela l'aidait à calmer le martèlement de son cœur. Il y avait le piaillement des quarels et le toussotement des fromps, dans les arbres au-dessus de lui. Ni les uns ni les autres ne blesseraient un troll des bois, en tout cas pas gravement. Un peu plus loin, sur sa droite, il perçut le crissement bavard d'un filelame prêt à plonger. L'instant d'après, la nuit s'emplit du hurlement de sa victime : un rat sylvestre peut-être, ou un gorgefeuille.

Un peu plus loin, alors que le sentier obscur s'étendait toujours devant lui, la forêt semblait s'ouvrir. Spic s'arrêta et contempla la lune argentée qui s'infiltrait entre les arbres et les branchages, faisant luire les feuilles vernissées. C'était la première fois qu'il se trouvait dans la forêt après la tombée de la nuit, et c'était beau... bien plus beau qu'il ne l'avait imaginé.

Les yeux levés vers les feuillages miroitants, Spic avança d'un pas à l'écart du sombre sentier. Sa peau, baignée par la froide lueur de la lune, prit aussitôt un éclat métallique. La buée qui sortait de sa bouche se mit à luire comme de la neige.

– In-cro-yable ! murmura Spic en faisant deux pas de plus.

Le sol glacé craquait et s'effritait sous ses pas. Des glaçons s'accrochaient aux branches d'un saulichêne pleureur tandis que les gouttes d'un roséperlé, figées, puis gelées, étincelaient à présent comme des perles fines. Un mince arbrisseau au feuillage pareil à une chevelure se balançait dans la brise glacée.

– Stu-pé-fiant, dit encore Spic en continuant d'avancer.

Un pas à droite, deux pas à gauche, derrière un arbre, en haut d'une côte. Tout était tellement mystérieux, tellement nouveau.

Il s'arrêta près d'un massif de plantes frissonnantes ornées de hautes feuilles piquantes et de tiges à bourgeons qui scintillaient dans la nuit. Tout à coup, les bourgeons commencèrent à s'ouvrir. Les uns après les autres. Bientôt, le massif fut couvert d'énormes fleurs rondes aux pétales semblables à des copeaux de glace ; et toutes se tournèrent vers la lune pour se gorger de sa lumière.

Spic se prit à sourire et se détourna.

– Encore un tout petit peu plus loin… assura-t-il.

Un culbutex cabriola tout près de lui avant de disparaître dans l'ombre. Cloches de lune et tintinabulles sonnaient à chaque souffle de vent.

Puis Spic perçut un autre bruit et fit volte-face. Une petite créature au poil lisse et brun et à la queue en tire-bouchon filait à ras de terre en poussant des hurlements de terreur. Le hululement d'une chouette des bois fendit l'air.

Spic sentit son cœur s'emballer. Il jeta des regards affolés autour de lui. Des yeux le guettaient dans l'ombre. Des yeux jaunes. Des yeux verts. Des yeux rouges.

– Oh non ! gémit-il. Qu'est-ce que j'ai fait ?

Spic le savait très bien. « Ne t'écarte pas du sentier », lui avait recommandé Spelda. Mais c'était exactement ce qu'il avait fait. Captivé par la beauté argentée des Grands Bois, il avait quitté la sécurité du chemin.

Spic poussa un grognement.

– Suis-je donc incapable de faire quoi que ce soit convenablement ? Imbécile ! Imbécile ! Imbécile ! jura-t-il en trébuchant, cherchant désespérément à retrouver le sentier. IMBÉ…

Soudain, un bruit le fit taire et le figea sur place. C'était le halètement sifflant d'un crapoteux, énorme et dangereux reptile dont le souffle était si fétide qu'il pouvait étourdir ses victimes à vingt pas. À dix, la puanteur devenait mortelle. Un seul rot malfaisant avait suffi à tuer l'oncle de Grognasson.

Que faire ? Où aller ? Spic ne s'était jamais retrouvé tout seul hors des sentiers des Grands Bois. Il partit d'un côté, s'immobilisa, repartit de l'autre et s'arrêta encore. La respiration sifflante du crapoteux semblait être tout autour de lui. Spic plongea dans l'ombre d'un fourré et se tapit derrière le tronc d'un grand arbre bosselé.

Le crapoteux se rapprochait. Son souffle rauque s'intensifiait. Spic sentait ses paumes se mouiller et sa bouche s'assécher ; il n'arrivait même plus à déglutir. Les fromps et les quarels s'étaient tus, et, dans ce silence effrayant, le cœur de Spic battait comme un tambour. Le crapoteux ne pouvait manquer de l'entendre.

Ou peut-être qu'il était parti. Spic coula un œil prudent de l'autre côté du tronc d'arbre.

– ERREUR ! hurla-t-il, lorsqu'il se retrouva face à deux yeux jaunes et fendus qui le fixaient dans le noir. Une longue langue enroulée ne cessait d'entrer et de sortir pour goûter l'atmosphère. Soudain, le crapoteux enfla comme un ballon. Il s'apprêtait à cracher son haleine mortelle. Spic ferma les yeux, se pinça le nez et serra les lèvres. Il entendit un jet gazeux. Juste après, il y eut un choc étouffé, comme si quelque chose était tombé par terre. Spic ouvrit prudemment un œil et examina la situation. Un fromp gisait à terre. Sa queue velue et agile était agitée de mouvements saccadés. Spic resta parfaitement immobile pendant que le crapoteux tirait sa langue interminable pour saisir le malheureux fromp et l'emporter dans les sous-bois.

– Ce n'est pas passé loin ! fit Spic avec un soupir de soulagement. Pas loin du tout !

Il essuya son front dégoulinant.

La lune avait pris une teinte laiteuse, les ombres paraissaient plus denses et Spic errait misérablement, les ténèbres s'accrochant à lui comme un manteau mouillé. Le crapoteux était peut-être parti, mais c'était maintenant le cadet de ses soucis. Spic avait bel et bien quitté le sentier et il était perdu.

Il trébuchait souvent et tombait parfois. Ses cheveux étaient trempés de sueur alors qu'il se sentait transi jusqu'à la moelle des os. Il ne savait pas où il allait, pas plus qu'il ne savait par où il était passé ; il espérait simplement qu'il ne tournait pas en rond. Spic se sentait fatigué, mais à chaque fois qu'il s'arrêtait pour se reposer un peu, un grognement, un grondement ou un rugissement féroce le remettait en route.

Enfin, incapable d'aller plus loin, Spic s'arrêta. Il tomba à genoux et leva son visage vers le ciel.

– Ô Luminard ! jura-t-il, sa voix résonnant dans l'air nocturne glacé. Luminard ! Luminard ! Je vous en prie, je vous en prie, je vous en prie. Faites que je retrouve le sentier ! Si seulement je n'avais pas quitté le sentier ! Au secours ! Au secours ! Au se...

– AU SECOURS !

Le cri de détresse fendit l'air comme une lame. Spic se releva d'un bond et regarda autour de lui.

– AIDEZ-MOI !

Ce n'était pas un écho.

La voix provenait de la gauche. Instinctivement, Spic courut voir s'il pouvait faire quelque chose. Mais il se figea aussitôt. Et si c'était un piège ? Il se rappela des histoires à vous figer le sang de trolls des bois entraînés vers la mort par les appels faussement désespérés d'un tailladeur, créature monstrueuse armée de quarante griffes acérées comme des rasoirs. Ces tailladeurs ressemblent à de simples bûches... jusqu'à ce que leurs victimes posent le pied dessus. Leurs pattes se referment alors sur les malheureux, et restent ainsi jusqu'à ce que le corps sans vie ait commencé à se décomposer. Car les tailladeurs ne mangent que des charognes.

– Par pitié, que quelqu'un vienne m'aider, reprit la voix, mais plus faible cette fois.

Spic ne pouvait plus continuer d'ignorer une prière si désespérée. Il tira son couteau, au cas où, et se dirigea vers la voix. Il n'avait pas fait vingt pas qu'il trébucha sur quelque chose qui sortait du bas d'une peignée bourdonnante.

– Aïe ! cria la voix.

Spic se retourna. Il avait buté sur une paire de jambes. Leur propriétaire se redressa pour le foudroyer du regard.

– Espèce de malotru ! s'exclama-t-il.

– Excusez-moi, je… commença Spic.

– Et ne me regarde pas comme ça, coupa l'autre. C'est très mal élevé.

– Excuse-moi, reprit Spic.

Mais c'était vrai : il dévisageait l'inconnu. Un rayon de lune traversait les feuillages pour éclairer le garçon, et la vue de son visage rouge vif, de ses cheveux écarlates cirés en pointes pareilles à des flammèches, et de ses colliers de dents animales, avait surpris Spic.

– Tu es un égorgeur, n'est-ce pas ? demanda-t-il.

Avec leur apparence ensanglantée, les égorgeurs passaient pour être très féroces. On disait que pendant des générations passées à répandre le sang, celui-ci s'était infiltré par les pores de leur peau et jusqu'à la racine de leurs cheveux. Cependant, même s'ils s'occupaient principalement de massacrer les tildes qu'ils chassaient et les hammels à cornes qu'ils élevaient, les égorgeurs étaient un peuple pacifique.

Spic ne put néanmoins dissimuler sa répulsion. Mis à part les voyageurs occasionnels des Grands Bois, les égorgeurs étaient les voisins les plus proches des trolls des bois. Ils faisaient du troc ensemble – objets de bois sculpté et paniers contre viande et articles de cuir. Mais les trolls des bois, comme toutes les autres créatures des Grands Bois, méprisaient les égorgeurs. Ils étaient, comme le disait Spelda, le fond du panier. Personne ne voulait s'associer à des gens qui avaient non seulement du sang sur les mains, mais sur toute leur personne.

– Alors ? insista Spic. Es-tu un égorgeur ?

– Et si c'était le cas ? répliqua l'autre, sur la défensive.

– Rien, je… je m'appelle Spic, fit-il en se disant que, perdu dans les Grands Bois, on ne pouvait être trop difficile quant au choix de ses compagnons.

Le garçon porta brièvement la main à son front et hocha la tête.

– Moi, c'est Grisel, répondit-il. S'il te plaît, ramène-moi à mon village. Je ne peux pas marcher, regarde, ajouta-t-il en montrant son pied droit.

Spic vit six ou sept marques violacées derrière le talon du garçon. Mais déjà, son pied tout entier avait doublé de volume. Pendant que Spic le regardait, l'enflure gagna même la jambe.

– Qu'est-ce qui se passe ? demanda Spic avec un hoquet.

– C'est… c'est…

Spic comprit alors que le garçon fixait du regard un point situé derrière son dos. Il entendit un sifflement et fit volte-face. Et là, en suspens juste au-dessus du sol, se tenait la créature la plus abjecte que Spic eût jamais vue.

C'était long et massif, avec une peau d'un vert vif luminescent qui projetait une lueur visqueuse sous la lune blanche. Tout le long de son corps, de grosses pustules jaunâtres contenaient un liquide translucide. Tout en s'agitant et se tortillant, la créature dévisageait Spic de ses énormes yeux glacés.

– Qu'est-ce que c'est ? murmura Spic.

– Un aérover, répondit Grisel. Quoi que tu fasses, ne le laisse pas t'attraper.

– Pas de danger, fit bravement Spic en cherchant son couteau. Mon couteau ! s'écria-t-il en ne le trouvant pas. Mon couteau à prénom. Je…

Puis il se rappela qu'il l'avait à la main quand il avait trébuché sur la jambe de Grisel. L'arme devait se trouver quelque part par terre.

Spic regardait droit devant lui, trop terrifié pour quitter, ne fût-ce qu'une seconde, le monstre des yeux. La créature continuait de se tortiller. Le sifflement ne provenait pas de sa gueule mais des rangées de conduits qui garnissaient son ventre. Ceux-ci expulsaient l'air qui permettait à l'aérover de flotter au-dessus du sol.

Le monstre s'approcha, et Spic se retrouva tout près de sa gueule. L'aérover avait des lèvres caoutchouteuses et des espèces d'antennes souples, et il ne cessait d'aspirer l'air. Soudain, les lèvres s'écartèrent.

Spic poussa un cri d'horreur. La gueule de l'aérover était pleine de tentacules, chacun doté d'une ventouse dégoulinante à son extrémité. Les mâchoires s'ouvrirent et les tentacules jaillirent et se tortillèrent comme des asticots.

– Le couteau, chuchota Spic à Grisel. Trouve le couteau.

Il entendit Grisel fouiller les feuilles mortes.

– J'essaye, assura le garçon, mais je ne trouve rien… Si ! s'écria-t-il. Je l'ai !

– Vite ! fit Spic, désespéré. Dépêche-toi !

L'aérover tremblotait, prêt à attaquer. Spic tendit la main derrière son dos.

Sentant le manche en corne familier dans sa paume, il referma les doigts dessus et serra les dents.

L'aérover se balançait en l'air, d'avant en arrière, sans cesser de trembler. Spic attendit. Puis, soudain, sans prévenir, l'aérover frappa. Il se jeta sur le cou de Spic, gueule grande ouverte et tentacules tendus. Il puait la graisse rance.

Terrorisé, Spic recula d'un bond. L'aérover changea brusquement de direction pour s'approcher par l'autre côté. Spic plongea.

Le monstre manqua sa tête de peu, s'immobilisa dans un sifflement et s'enroula sur lui-même pour lancer une autre attaque.

Cette fois, il frappa par-devant, exactement comme Spic l'avait souhaité. Au moment où les tentacules de la créature allaient se fixer sur son cou découvert, Spic fit un écart et plongea en avant. Le couteau s'enfonça dans le ventre mou de la bête, entaillant la rangée de conduits à air. L'effet fut instantané. Comme une baudruche gonflée qu'on lâche brusquement, l'aérover tournoya de façon désordonnée dans les airs avec un tfuitfuitfuitfuitfuitttfffff sonore. Puis il explosa, et une masse de petits lambeaux visqueux de peau jaunâtre et verdâtre retomba en pluie sur le sol.

    – OUI ! rugit Spic en martelant l'air de ses poings. J'y suis arrivé ! Je l'ai fait ! L'aérover est mort !

    À chaque parole, des jets de buée jaillissaient de sa bouche. Un vent du nord glacé s'était mis à souffler. Pourtant Spic n'avait pas froid. Loin de là. La flamme de la fierté et de l'excitation réchauffait tout son corps.

    – Au 'e'ours, fit une voix derrière lui.

C'était bizarre. On aurait dit que Grisel parlait en mangeant.

– Tout va bien, assura Spic en se remettant debout. Je… GRISEL ! s'exclama-t-il.

L'égorgeur était totalement méconnaissable. Avant le combat qui avait opposé Spic à l'aérover, Grisel avait déjà la jambe enflée. Maintenant, c'était son corps tout entier qui était soufflé. On aurait dit un énorme ballon rouge sombre.

– 'Mène-moi 'maison, marmonna-t-il avec un air douloureux.

– Mais je ne sais pas où c'est, répondit Spic.

– 'Te l' di'ai, ânonna Grisel. Lèv' moi. 'Te mon'e'ai la di'ection.

Spic se baissa et prit l'égorgeur dans ses bras. Il le trouva étonnamment léger.

Spic se mit en marche.

– 'Auch, indiqua Grisel un peu plus tard. 'Auch enco'.
D'oit'. 'Ou d'oi.

Mais à mesure que Grisel continuait d'enfler, il
lui devenait impossible de prononcer les mots les
plus simples. Il finit par presser ses mains boursouflées
sur les épaules de Spic pour lui indiquer le chemin à
prendre.

Si Spic avait tourné en rond auparavant, ce n'était
certainement plus le cas. On le conduisait vers un endroit
nouveau.

– BARBOUILLA ! s'écria Grisel. BARBOUILLI-
BOUILLA !

– Quoi ? fit vivement Spic.

Mais il n'attendit pas la réponse pour comprendre ce
qui arrivait. Le corps de Grisel, déjà léger lorsqu'il l'avait
pris, était maintenant plus léger que l'air. L'énorme masse
gonflée était sur le point de s'envoler.

Il essaya du mieux qu'il put de ceinturer la taille de
Grisel – enfin, là où sa taille s'était trouvée – mais n'y put
parvenir. On aurait dit qu'il cherchait à porter une poche
d'eau, sauf que cette poche-là tentait de l'entraîner vers le
haut. Si Spic le lâchait, Grisel disparaîtrait dans les airs.

Spic s'épongea le front. Puis il coinça le malheureux
entre deux branches, prenant soin de choisir un arbre
sans épines. Il ne voulait pas que Grisel éclate. Il déroula
de son épaule la corde que Spelda lui avait donnée, en fixa
une extrémité à la jambe de Grisel, et l'autre autour de sa
propre taille, puis il reprit sa route.

Spic n'eut pas longtemps à attendre pour connaître
de nouvelles difficultés. L'attraction vers le ciel se faisait à
chaque pas plus puissante et il devenait toujours plus difficile de rester sur le sol. Il s'accrochait aux branches des

buissons qu'il dépassait, mais cela ne suffit bientôt plus. L'égorgeur devenait simplement trop léger.

Tout à coup, Spic sentit ses jambes se soulever de terre. Les branches lui échappèrent et il se mit à flotter dans les airs avec Grisel.

Ils s'élevaient toujours plus haut dans le ciel nocturne glacé. Spic chercha en vain à défaire la corde autour de sa taille. Il contempla le sol qui s'éloignait rapidement sous lui et une pensée horrible lui traversa l'esprit : on attendait Grisel. Voyant qu'il ne rentrait pas, sa famille et ses amis ne manqueraient pas de le chercher. Spic, lui, en revanche, avait fait ce que jamais un troll des bois ne ferait : il s'était écarté du chemin. Et personne ne viendrait le chercher.

CHAPITRE 3

Les égorgeurs

PLUS SPIC S'ÉLEVAIT DANS L'AIR FROID ET SOMBRE, PLUS la corde s'enfonçait douloureusement dans ses côtes, lui coupant la respiration. Il chercha l'air et sentit curieusement une bouffée de fumée âcre lui remplir la tête. C'était un mélange de fumée de bois, de cuir et de quelque chose de piquant qu'il ne put identifier. Grisel poussa un grognement au-dessus de lui.

– Approchons-nous de ton village ? questionna Spic.

Grisel poussa un nouveau grognement, plus insistant encore. Soudain, entre les feuilles, Spic entrevit des flammes vacillantes et une fumée écarlate. Il y avait du feu, moins de vingt pas au-dessous d'eux.

– Au secours ! hurla Spic. À L'AIDE !

Presque aussitôt, le sol se mit à grouiller d'égorgeurs rouge sang, chacun porteur d'une torche.

– LÀ-HAUT ! cria Spic d'une voix perçante.

Les égorgeurs levèrent la tête. L'un d'eux tendit le bras. Puis, sans qu'un mot fût prononcé, ils agirent rapidement. Calmes et méthodiques, ils laissèrent glisser de leurs épaules les cordes qu'ils portaient enroulées et firent un nœud coulant à une extrémité. Puis, sans se précipiter

mais connaissant visiblement leur affaire, ils firent tournoyer leurs lassos improvisés.

Spic gémit en voyant les cordes retomber autour de
lui. Il écarta les jambes et fléchit les pieds, prêt à en saisir
une au vol. Les égorgeurs firent une nouvelle
tentative, mais comme Grisel montait toujours plus haut, leur tâche devenait à
chaque seconde plus difficile.

– Allez, murmura Spic avec
impatience alors que les égorgeurs
s'acharnaient à vouloir lui
prendre les pieds au lasso.

Il entendit au-
dessus de lui un cri
étouffé au moment
où le corps enflé de Grisel
cogna des branches
d'arbres serrés.
L'instant
d'après, la
tête de Spic
s'enfonçait
à son tour
dans le
feuillage
épais.

Les feuilles abîmées exhalaient un riche parfum de terre.

Spic se demanda malgré lui comment cela pouvait être, au-dessus des Grands Bois. Dans le royaume des pirates du ciel.

Mais avant de pouvoir le découvrir, il sentit quelque chose s'accrocher à son pied fléchi et se resserrer autour de sa cheville. L'une des cordes des égorgeurs avait enfin atteint sa cible. On tira fermement sur sa jambe. Puis on tira encore et encore. Les feuilles lui cinglaient le visage, et l'odeur terreuse s'intensifiait.

Brusquement, il découvrit le sol au-dessous de lui, et vit la corde attachée à sa cheville. Une vingtaine d'égorgeurs tenaient l'autre bout qu'ils tiraient lentement et par à-coups.

Lorsque les pieds de Spic touchèrent enfin la terre, l'attention des égorgeurs se porta aussitôt vers Grisel. Œuvrant dans un silence complet, ils firent glisser les nœuds coulants autour de ses bras et de ses jambes et l'arrimèrent solidement. Alors, l'un d'eux tira son couteau et trancha la corde qui le retenait encore à la poitrine de Spic. Enfin libre, le garçon se plia en deux et respira profondément, avec reconnaissance.

– Merci, fit-il d'une voix sifflante. Je ne crois pas que j'aurais pu tenir beaucoup plus longtemps. Je…

Il leva les yeux. Retenant l'énorme masse de Grisel au-dessus d'eux, l'ensemble des égorgeurs trottait vers le village, abandonnant Spic sur place. Et, pour couronner le tout, il commençait à neiger.

– Merci, lança-t-il avec un reniflement.

– Ils sont inquiets, c'est tout, fit une petite voix derrière lui.

Spic se retourna. Une jeune égorgeuse se tenait là, le visage éclairé par la lueur vacillante de sa torche. Elle se toucha le front et sourit. Spic lui rendit son sourire.

– Je m'appelle Nervie, annonça-t-elle. Et je suis la sœur de Grisel. Il avait disparu depuis trois jours.

– Tu crois qu'il va s'en remettre ? s'enquit Spic.

– S'ils arrivent à lui administrer un antidote avant qu'il explose, répondit-elle.

– Qu'il explose ! s'exclama Spic, essayant de ne pas imaginer ce qui aurait pu se passer s'ils s'étaient élevés plus haut dans le ciel.

– Le venin se transforme en air chaud, et il y a des limites à la quantité d'air chaud qu'un corps peut absorber, expliqua sombrement Nervie en hochant la tête.

Derrière elle se fit entendre un coup de gong.

– Viens, fit l'égorgeuse. Tu as l'air d'avoir faim et c'est l'heure du déjeuner.

– Du déjeuner ? s'étonna Spic. Mais on est au milieu de la nuit !

– Bien sûr, répondit Nervie, désarçonnée. J'imagine que toi, tu prends ton déjeuner au milieu de la journée ! plaisanta-t-elle avec un éclat de rire.

– Eh bien, oui, concéda Spic. C'est exactement ce que nous faisons.

– Vous êtes bizarres ! fit-elle en secouant la tête.

– Pas du tout, protesta Spic en la suivant à travers les arbres. Au fait, je m'appelle Spic.

Lorsque le village apparut devant lui, Spic s'arrêta. C'était très différent du village d'où il venait. Les égorgeurs vivaient dans des huttes au ras du sol au lieu de cabanes dans les arbres. Et alors que les cabanes des trolls étaient recouvertes de ricanier, un bois ultra-léger, les égorgeurs avaient couvert leurs huttes de plombinier, un bois très dense qui les clouait solidement au sol. Les habitations n'avaient pas de porte, juste d'épais rideaux en peau de hammel à cornes, conçus pour arrêter les courants d'air, et pas les voisins.

Nervie conduisit Spic vers le feu qu'il avait aperçu d'en haut, à travers les branchages. C'était un véritable brasier dressé sur une plate-forme de pierre circulaire, en plein milieu du village. Émerveillé, Spic regarda derrière lui. La neige tombait toujours, plus drue que jamais, au-delà du village, mais pas un flocon n'atteignait les huttes. Le dôme de chaleur créé par la fournaise était tellement intense qu'il faisait fondre la neige avant qu'elle puisse toucher terre.

Quatre longues tables garnies, posées sur des tréteaux, formaient un carré autour du feu.

– Assieds-toi où tu veux, lui dit Nervie en se laissant tomber sur un siège.

Spic prit place à côté d'elle, les yeux fixés sur les flammes rugissantes. Le feu avait beau brûler ardemment, les bûches se consumaient sans bouger d'un pouce.

– À quoi tu penses ? demanda Nervie.

Spic poussa un soupir.

– Là d'où je viens, on fait brûler du bois flottant – du ricanier, de l'arbre aux berceuses, tu vois. C'est bien, mais il faut faire le feu dans un poêle. Je n'ai… je n'avais jamais vu de feu en plein air, comme ça.

– Tu préférerais être à l'intérieur ? proposa Nervie, inquiète.

– Non, non, fit Spic. Ce n'est pas ce que j'ai voulu dire. C'est bien comme ça. Chez moi – enfin, là où j'ai été élevé –, dès qu'il fait froid, on s'enferme dans les cabanes. On se sent très seul quand il fait mauvais temps.

Spic ne précisa pas qu'il se sentait très seul même quand il faisait beau.

Tous les bancs étaient occupés à présent et, à l'autre bout de la table, on commençait à servir l'entrée. Au moment où un parfum délicieux lui parvint aux narines, Spic prit conscience qu'il mourait de faim.

– Je reconnais cette odeur, dit-il. Qu'est-ce que c'est ?

– Du potage à la saucisse de tilde, je crois, dit Nervie.

Spic eut un sourire. Bien sûr ! Le potage était une gourmandise que seuls les trolls des bois adultes s'accordaient la nuit de Sylvania. Et, chaque année, il s'était demandé quel goût cela pouvait avoir. Il allait enfin le découvrir.

– Pousse ton coude, mon petit, fit une voix derrière lui.

Spic se retourna. Une vieille se tenait là, une louche dans la main droite, une marmite dans la gauche. À peine eut-elle vu Spic qu'elle eut un mouvement de recul. Son sourire s'évanouit et elle poussa un cri.

– Un fantôme ! souffla-t-elle.

– Tout va bien, Gram-Tatoum, assura Nervie en se penchant vers elle. C'est Spic. Il vient de l'Extérieur. C'est lui qui a sauvé Grisel.

La vieille femme dévisagea Spic.

– C'est toi qui nous as ramené Grisel ? demanda-t-elle.

Spic hocha la tête. Sans lâcher sa louche, la vieille femme se toucha le front et s'inclina.

– Bienvenue, dit-elle.

Puis elle leva les bras et frappa la marmite avec la louche pour intimer le silence. Elle monta ensuite sur le banc et contempla le carré de visages attentifs.

– Nous comptons parmi nous un jeune homme courageux qui a pour nom Spic. Il a porté secours à notre

Grisel et nous l'a ramené. Je voudrais que vous leviez tous votre verre pour lui souhaiter la bienvenue.

Tous les égorgeurs attablés, jeunes et vieux, se levèrent, touchèrent leur front, brandirent leur verre et s'écrièrent :

– Bienvenue, Spic !

Spic baissa timidement la tête.

– Ce n'est rien, murmura-t-il.

– Et maintenant, reprit Gram-Tatoum en descendant de son banc, j'imagine que tu dois être affamé. Mange ça, mon petit, dit-elle en versant une louche de potage dans son bol. Et voyons si on peut mettre un peu de couleur sur ces joues.

Le potage à la saucisse de tilde était aussi délicieux au goût qu'à l'odeur. Les saucisses, tendres et parfumées, avaient mijoté dans un bouillon assaisonné de grignotons et d'oranginelle, ce qui donnait un potage riche et épicé. Et ce n'était là que l'entrée. Venaient ensuite des steaks fondants de hammel à cornes roulés dans de la farine de bosselle et frits dans la graisse de tilde, accompagnés de poires de terre et de salade bleue piquante. Et pour clore le tout, il y avait encore du fondant au miel, des crèmes aux délises et de petites gaufres arrosées de sirop. Spic n'avait jamais si bien mangé – ni autant bu. Un grand pichet rempli de cidre de pommes des bois trônait au centre de chacune des quatre tables, et la timbale de Spic ne resta jamais vide longtemps.

À mesure que le repas avançait, l'atmosphère se débridait de plus en plus. Les égorgeurs oublièrent leur invité, et l'air, déjà réchauffé par le brasier, s'échauffa encore au son des rires et des plaisanteries, des récits et même des chansons. Lorsque Grisel en personne apparut, semblant parfaitement remis de ses épreuves, chacun parut perdre la tête !

Tous hurlèrent, tous applaudirent ; ils chantèrent et sifflèrent, leur figure écarlate luisant à la lueur du feu. Trois hommes se levèrent d'un bond et hissèrent Grisel sur leurs épaules. Pendant qu'ils paradaient ainsi, le reste des égorgeurs frappaient la table de leur timbale en chantant une petite chanson toute simple d'une voix profonde et sirupeuse :

Bienvenue à l'égorgeur égaré
Bienvenue comme à un étranger
Bienvenue au retour des Grands Bois
Bienvenue au retour du danger.

Ils répétèrent ces vers indéfiniment, pas tous ensemble mais les uns après les autres, chaque tablée d'égorgeurs attendant son tour de reprendre le quatrain. Les harmonies tourbillonnaient autour d'eux, formant un ensemble plus beau que tout ce que Spic avait jamais entendu. Incapable de résister plus longtemps, il joignit sa voix au chœur des égorgeurs et frappa lui aussi la table en cadence avec sa timbale.

Après le troisième tour de tables, les trois porteurs de Grisel s'approchèrent de Spic. Ils s'immobilisèrent juste derrière lui et posèrent Grisel sur le sol. Spic se leva et regarda le jeune égorgeur. Tout le monde se tut. Alors, sans un mot, Grisel se toucha le front, s'avança solennellement et toucha le front de Spic. Puis son visage s'éclaira d'un sourire.

– Nous sommes frères maintenant, déclara-t-il.

Frères ! pensa Spic. Si seulement c'était possible.

– Merci, Grisel, mais… Houlaaaaaah ! s'exclama-t-il en se sentant à son tour hissé sur les épaules des trois hommes.

Oscillant dangereusement d'un côté puis de l'autre, Spic eut un petit sourire. Puis il sourit plus franchement et finit même par rire joyeusement tandis que ses porteurs lui faisaient faire un tour, puis deux, trois et même quatre tours de tables, de plus en plus rapides. Il contempla d'un œil étourdi le halo rouge des visages rieurs au-dessous de lui, et se dit qu'il n'avait jamais été aussi bien accueilli qu'ici, dans cette bulle de chaleur et d'amitié qui était le foyer des égorgeurs dans les Grands Bois. Il se dit que ce serait agréable de rester ici.

À cet instant, un nouveau coup de gong retentit. Les trois égorgeurs interrompirent brusquement leur course, et Spic sentit de nouveau le sol sous ses pieds.

– Le déjeuner est terminé, expliqua Nervie alors que les égorgeurs, toujours riant et chantant, se levaient vivement de table pour retourner travailler. Tu aimerais visiter un peu ?

Spic étouffa un bâillement et eut un petit sourire d'excuse.

– Je ne suis pas habitué à veiller aussi tard.

– Mais on est en plein milieu de la nuit ! s'étonna Grisel. Tu ne peux pas être fatigué !

– C'est que j'ai été debout toute la journée, dit Spic.

Nervie se tourna vers son frère :

– Si Spic veut se reposer…

– Non, non, assura fermement Spic. Je veux visiter.

Ils le conduisirent à l'enclos des hammels à cornes. Spic grimpa sur l'échelon inférieur de la barrière et contempla les bêtes massives aux cornes retournées et aux yeux tristes. Elles ruminaient, l'air endormi. Spic se pencha pour flatter l'encolure de la bête la plus proche. Irrité, le hammel repoussa la main d'un mouvement de sa tête cornue. Spic recula nerveusement.

– Ils ont l'air dociles, intervint Nervie, mais les hammels à cornes sont des animaux imprévisibles. Il ne faut jamais leur tourner le dos. Ces cornes peuvent faire beaucoup de dégâts !

– Et ils sont maladroits, commenta Grisel. C'est pour ça qu'on met tous des bottes épaisses.

– Chez nous, il y a un dicton qui dit que le sourire du hammel est pareil au vent, on ne sait jamais quand il va tourner ! ajouta Nervie.

– Mais qu'est-ce que c'est bon ! commenta Grisel.

Dans le fumoir, Spic découvrit des rangées innombrables de carcasses de tildes pendues à des crochets. Un grand fourneau alimenté par des copeaux de chêne rouge produisait une fumée cramoisie qui donnait au jambon de tilde son goût si particulier. C'était cette fumée, plutôt que le sang, qui teintait la peau des égorgeurs.

Dans le tilde, rien ne se perdait. Les os étaient séchés pour servir de bois ; la graisse était utilisée en cuisine, mais aussi comme huile de lampe, pour la fabrication de bougies et pour graisser les rouages des roulettes de bâche ; avec le poil rêche, on faisait du cordage, et l'on taillait dans les cornes toutes sortes d'objets usuels allant des couteaux à des poignées de portes de placard. Mais c'était le cuir qui constituait la partie la plus précieuse de l'animal.

– C'est ici que l'on tanne les peaux, annonça Grisel.

Spic regarda les hommes et les femmes au visage rouge marteler les peaux avec de grosses pierres rondes.

– J'ai déjà entendu ce bruit-là, dit-il. Quand le vent vient du nord-ouest.

– C'est pour adoucir le cuir, expliqua Nervie. Ça aide à le mettre en forme.

– Et là, reprit Grisel en avançant, ce sont les cuves de tannage. On n'utilise que de la meilleure écorce de plombinier, ajouta-t-il fièrement.

Spic huma les cuves fumantes. C'était l'odeur qu'il avait sentie lorsqu'il flottait au-dessus du village.

– C'est pour ça que nos cuirs sont si renommés, dit Nervie.

– Ce sont les meilleurs des Grands Bois, assura Grisel. Même les pirates du ciel nous les achètent.

– Vous faites du commerce avec les pirates ? demanda Spic en se retournant.

– Ce sont nos meilleurs clients, dit Grisel. Ils ne viennent pas souvent, mais à chaque visite, ils nous prennent tout ce que nous avons.

Spic hocha la tête, mais il avait l'esprit ailleurs. Une fois de plus, il se voyait à la proue d'un bateau pirate, la lune au-dessus de sa tête et ses cheveux au vent, voguant parmi les cieux.

– Doivent-ils revenir bientôt ? demanda-t-il enfin.

– Les pirates du ciel ? fit Grisel avant de secouer la tête. Il n'y a pas longtemps qu'ils étaient ici. Ils ne reviendront pas avant un bon moment, maintenant.

Spic poussa un soupir. Il éprouvait soudain une immense lassitude. Nervie remarqua que ses yeux se fermaient tout seuls et le prit par le bras.

– Viens, dit-elle. Il faut que tu te reposes. Ma-Tatoum saura où tu peux dormir.

Cette fois, Spic ne protesta pas. Épuisé, il suivit Nervie et Grisel jusqu'à leur hutte. À l'intérieur, une femme mélangeait quelque chose de rouge dans un saladier. Elle leva les yeux.

– Spic ! s'exclama-t-elle en se frottant les mains sur son tablier. J'étais impatiente de te voir.

Elle se précipita sur lui et l'enveloppa de ses bras courtauds. Le haut de sa tête arrivait à peine au menton de Spic.

– Merci, mon pâlichon, fit-elle dans un sanglot. Merci de tout cœur, ajouta-t-elle en s'essuyant les yeux sur un coin de son tablier. Ne fais pas attention. Je ne suis qu'une vieille idiote…

– Ma-Tatoum, intervint Nervie. Spic est fatigué.

– Je le vois bien, répondit la vieille femme. J'ai déjà préparé un couchage supplémentaire dans le hamac. Mais avant cela, il y a une ou deux choses importantes que je voudrais…

Elle se mit à fouiller furieusement une commode, faisant voler partout ce qu'elle ne cherchait pas.

– Ah, voilà ! s'exclama-t-elle enfin avant de tendre à Spic un grand gilet de fourrure. Essaye ça.

Spic enfila le gilet par-dessus sa veste de cuir. Il allait parfaitement.

– C'est drôlement chaud, commenta-t-il.

– C'est un gilet en peau de hammel, dit-elle en fermant les boutons. Notre spécialité, ajouta-t-elle. Et elle n'est pas à vendre. Spic, je voudrais que tu l'acceptes en témoignage de ma gratitude pour m'avoir ramené Grisel sain et sauf.

– Merci, fit Spic, ému. Je…

– Caresse-le, fit Grisel.

– Quoi ? s'étonna Spic.

– Caresse-le, répéta le jeune égorgeur avec un gloussement.

Spic passa la paume sur la fourrure laineuse. Elle était douce et épaisse au toucher.

– C'est très joli, dit-il.

– Et maintenant, dans l'autre sens, insista Grisel.

Spic s'exécuta. Cette fois, la fourrure se raidit et se hérissa. Spic poussa un cri et Nervie éclata de rire. Même Ma-Tatoum souriait.

– Ça pique comme des aiguilles, dit Spic en se suçant la main.

– Qu'il soit mort ou vif, il ne faut jamais caresser un hammel à cornes à rebrousse-poil, fit Ma-Tatoum en riant. Je suis contente que mon cadeau te plaise. Qu'il te fasse bon usage.

– C'est très gentil à vous… commença Spic.

– Et ceci te protégera des dangers invisibles, coupa-t-elle en lui glissant une amulette de cuir repoussé autour du cou.

Spic eut un petit rire. Décidément, où qu'elles vivent, les mères étaient superstitieuses.

– Tu ferais mieux de ne pas te moquer, fit sèchement Ma-Tatoum. Je vois à tes yeux que tu as un long chemin à parcourir. Les dangers ne manqueront pas. Et même s'il existe un antidote pour chaque poison, ajouta-t-elle en adressant un sourire à Grisel, si tu tombes entre les pattes du luminard, tu es fichu.

– Le luminard ? fit Spic. On m'a déjà parlé du luminard.

– C'est la pire de toutes les créatures, assura Ma-Tatoum d'une voix rauque. Elle rôde dans l'ombre.

Elle nous traque, nous les égorgeurs ; elle choisit sa victime et décide de sa mort. Et puis elle bondit.

Spic mordilla nerveusement le bout de son foulard. Il s'agissait bien du même luminard que celui tant redouté par les trolls, ce monstre qui attirait les malheureux égarés vers une mort certaine. Mais ce n'étaient que des histoires, sûrement ? Il ne put cependant s'empêcher de frissonner en entendant Ma-Tatoum.

– Le luminard consomme sa victime alors que le cœur bat encore, chuchota la vieille femme, sa voix se réduisant à un murmure. BON ! fit-elle brusquement en frappant dans ses mains.

Spic, Nervie et Grisel sursautèrent.

– Ma-aa ! protesta Nervie.

– Et voilà ! fit sévèrement Ma-Tatoum. Vous les jeunes, vous vous moquez toujours.

– Je ne voulais pas... commença Spic, mais Ma-Tatoum le fit taire d'un geste de sa main rouge sang.

– Ne baisse jamais ta garde dans les Grands Bois, lui dit-elle. Tu ne survivrais pas cinq minutes. Et maintenant, ajouta-t-elle en lui prenant chaleureusement les mains, va te reposer.

Spic ne se le fit pas dire deux fois. Il suivit Grisel et Nervie dehors puis de l'autre côté de la place du village pour rejoindre les hamacs communaux. Accrochés aux troncs d'un triangle d'arbres morts, les hamacs se balançaient doucement au-dessus du village. Spic se sentait tellement épuisé qu'il avait du mal à garder les yeux ouverts. Il suivit Grisel tout en haut de l'échelle fixée à l'un des troncs.

– C'est le nôtre, l'informa le jeune égorgeur lorsqu'ils atteignirent le hamac le plus haut. Ta place est là-bas.

– Merci, dit Spic avec un hochement de tête.

Ma-Tatoum lui avait préparé un édredon à l'autre bout du hamac. Spic s'y rendit à quatre pattes et s'enroula dedans. Il s'endormit aussitôt.

Spic ne sentit pas le soleil se lever ; il n'entendit pas que l'on déplaçait la plate-forme de pierre pour placer le foyer juste au-dessous des hamacs ; et il ne se rendit compte de rien lorsque Grisel, Nervie et tous les autres membres de la famille Tatoum vinrent se coucher tout autour de lui.

Spic s'enfonça dans un rêve rouge. Il dansait avec des êtres rouges dans une immense salle rouge. La nourriture était rouge, les boissons étaient rouges, le soleil lui-même, qui filtrait à travers les vitres, était rouge. C'était un rêve agréable, un rêve réconfortant. Enfin, jusqu'aux chuchotements.

– C'est douillet ; c'est joli, murmurait la voix. Mais ce n'est pas chez toi, si ?

Dans son rêve, Spic se retournait. Une silhouette décharnée, enveloppée dans une grande cape apparaissait derrière un pilier. Elle faisait crisser un ongle crochu sur la surface rouge. Spic essayait de s'avancer. Il contemplait la strie dans le bois qui saignait comme une blessure ouverte. Soudain, le chuchotement reprenait directement dans son oreille.

– Je suis encore là, disait la voix. Je suis toujours là.

Spic faisait volte-face. Il ne voyait personne.

– Pauvre petit imbécile, disait la voix. Si tu veux connaître ton destin, suis-moi.

Spic regardait avec horreur la main osseuse aux griffes jaunâtres jaillir des plis de la cape pour saisir sa capuche. La créature allait montrer son visage. Spic voulait se détourner mais ne pouvait bouger.

Alors, prise d'un rire hideux, la créature laissait retomber sa main. Se penchant vers lui tel un conspirateur, elle lui glissait :

– Tu me connaîtras bien assez tôt.

Le cœur de Spic battait la chamade. Il sentait le souffle de la créature contre son oreille et l'odeur de moisi et de soufre qui se dégageait de sa cape.

– DEBOUT !

L'ordre explosa dans le crâne de Spic. Il poussa un cri de frayeur, ouvrit les yeux et jeta un regard perdu autour de lui. Il faisait grand jour et il était couché très loin du sol, sur quelque chose de mou. Il y avait à côté de lui des êtres à peau rouge, qui tous ronflaient doucement. Il contempla le visage de Grisel, si paisible dans son sommeil, et tout lui revint brusquement.

– On se réveille ! Allez, debout, là-haut ! cria-t-on encore.

Spic se mit à genoux et regarda par-dessus le bord du hamac. Tout en bas, il y avait un égorgeur – le seul encore debout. Il attisait le feu.

– C'est vous qui appelez ? demanda Spic.

L'égorgeur se toucha légèrement le front et hocha la tête.

– Ma-Tatoum m'a demandé de ne pas vous laisser dormir jusqu'à la fin du jour, maître Spic. Parce que vous êtes une créature du soleil.

Spic leva les yeux vers le ciel. Le soleil était presque au zénith. Il gagna l'extrémité du hamac en prenant garde de ne réveiller aucun membre de la famille endormie, puis il descendit l'échelle.

– C'est que vous avez un long voyage devant vous, maître Spic, dit l'égorgeur en l'aidant à sauter du dernier échelon.

– Mais… je croyais que je pourrais rester un peu, protesta Spic, soudain rembruni. Je me plais, ici, et le cousin Futaille ne m'attend pas vraiment – du moins pas pour le moment…

– Vous vouliez rester ici ? fit l'égorgeur d'une voix méprisante. Rester ici ? Oh ! mais vous ne pourriez pas vous intégrer du tout. Ma-Tatoum remarquait encore au lever du soleil quel vilain petit bonhomme empoté vous faites. Vous ne sentez même pas le cuir…

– C'est Ma-Tatoum qui a dit ça ? fit Spic en avalant la boule qui commençait à lui gonfler la gorge. Mais elle m'a donné ce gilet, ajouta-t-il en l'effleurant du bout des doigts.

Les poils se hérissèrent, piquants comme des aiguilles.

– Aïe ! s'exclama Spic.

– Oh ! ça… commenta l'égorgeur. Ce n'est pas la peine d'en parler. Ce n'est qu'un vieux gilet. D'habitude, on n'arrive même pas à les donner, ajouta-t-il avec un rire dédaigneux. Non, mieux vaut retourner chez les vôtres. Le chemin que vous cherchez se trouve juste de ce côté.

L'égorgeur désignait la forêt. À ce moment, une volée d'oiseaux gris s'éleva à grand bruit dans le ciel.

– J'y vais, fit Spic.

Ses yeux le piquaient, mais il se refusait à pleurer – pas devant ce petit homme au visage cramoisi et aux cheveux rougeoyants.

– Et faites attention au luminard ! lança encore l'égorgeur de sa voix nasillarde et moqueuse, tandis que Spic atteignait la lisière des bois.

– Mais oui, je ferai attention au luminard, marmonna Spic. Et aux égorgeurs pris au piège qui, à un moment, vous traitent en héros, et l'instant d'après vous chassent comme un malpropre !

Il se tourna pour continuer à dire ce qu'il avait sur le cœur, mais l'égorgeur était déjà parti. Spic se retrouvait une fois de plus tout seul.

CHAPITRE 4

Le fourrecrâne

ALORS QUE LA FORÊT SOMBRE ET MENAÇANTE SE REFERMAIT de nouveau sur lui, Spic caressa nerveusement les amulettes et talismans qu'il portait autour du cou. S'il existait réellement une puissance maléfique au cœur des Grands Bois, ces petits objets de cuir et de bois suffiraient-ils à la tenir en respect ?

– J'espère n'avoir jamais à le découvrir, murmura-t-il.

Spic marcha longtemps. Les arbres devenaient de moins en moins familiers. Certains portaient des épines, d'autres des ventouses, d'autres encore des yeux. Tous lui paraissaient dangereux. Ils poussaient parfois si près les uns des autres que, malgré sa méfiance, Spic n'avait d'autre choix que de se glisser entre leurs troncs noueux.

Il arrivait à Spic de maudire sa taille et sa stature. Contrairement aux trolls et aux égorgeurs, qui étaient petits, ou à l'ours bandar, qui était puissant, il n'était pas fait pour vivre dans les Grands Bois.

Pourtant, lorsque les arbres se firent brusquement moins denses, Spic s'inquiéta encore davantage. Il ne voyait toujours pas trace du sentier annoncé. Il vérifia par-dessus son épaule qu'aucune créature ne cherchait à lui faire de mal et traversa aussi vite qu'il put la vaste clairière avant de replonger sous les arbres. À part une petite bête velue aux oreilles calleuses qui cracha dans sa direction en le voyant passer, aucun habitant des Grands Bois ne parut intéressé par le grand garçon dégingandé qui traversait son domaine.

– Si je continue à marcher, j'arriverai sûrement au sentier. Sûrement ! répéta-t-il, prenant conscience de la fragilité et du manque d'assurance de sa voix.

Derrière lui, retentit un piaillement aigu inconnu. Un autre lui répondit sur la gauche, puis un troisième sur la droite.

Spic se dit qu'il ne savait pas ce que c'était, mais que ces cris ne lui inspiraient rien de bon.

Il continua d'avancer tout droit, en accélérant le pas. Des gouttes de transpiration perlèrent à son front. Il se mordit la lèvre inférieure et se mit à courir en murmurant :

– Allez-vous-en ! Laissez-moi tranquille !

Comme pour lui répondre, les piaillements résonnèrent plus fort et plus près encore. Tête baissée, bras levés, Spic pressa l'allure. Il s'enfonçait dans les sous-bois. Des lianes lui fouettaient le corps. Des épines lui griffaient les mains et le visage. Des branches surgissaient sur son passage, comme pour le faire trébucher ou pour l'assommer. Et la forêt ne cessait de devenir plus épaisse, plus profonde et terriblement sombre.

Soudain, Spic se retrouva devant une lumière turquoise qui brillait dans le lointain comme un joyau. Il se demanda pendant un instant si cette couleur étonnante pouvait être signe de danger. Mais un instant seulement car déjà, les accords d'une douce musique hypnotique l'enveloppaient.

À mesure qu'il se rapprochait, la lumière s'étendait sur le sol feuillu de la forêt. Spic baissa les yeux sur ses pieds baignés de vert turquoise. La musique, mélange d'instruments à cordes et de voix, s'intensifia.

Spic s'arrêta. Que faire ? Il avait trop peur pour continuer. Mais il ne pouvait rebrousser chemin. Il fallait qu'il avance.

Mordillant le bord de son foulard, il fit un pas. Puis un autre, et encore un autre... la lumière turquoise lui couvrait tout le corps, si aveuglante qu'il dut se protéger les yeux. La musique, sinistre et insistante, lui emplit les oreilles. Lentement, il baissa les mains et regarda autour de lui.

Spic se tenait dans une clairière. Bien que la lumière turquoise fût vive, il y avait de la brume et tout était un peu flou. Pareilles à des ombres, des formes flottaient devant lui, se traversaient les unes les autres puis disparaissaient. La musique s'intensifia encore. Puis, brusquement, une silhouette jaillit de la brume et se dressa devant lui.

C'était une femme, petite et trapue, avec des perles fixées aux mèches de ses cheveux. Spic ne voyait pas son visage.

– Qui êtes-vous ? demanda-t-il.

Mais alors que la musique s'élevait en un crescendo enveloppant, Spic sut la réponse à la question. Ces jambes courtes et puissantes, ces épaules massives et, quand elle tourna la tête de côté, le profil de ce nez caoutchouteux. Mis à part les curieux vêtements qu'elle portait, il n'y avait aucun doute.

– Maman d'amour, murmura Spic.

Mais Spelda se détourna et s'enfonça dans la brume turquoise. Le curieux manteau de fourrure bleu qu'elle portait traînait par terre derrière elle.

– NE PARS PAS ! hurla Spic. MAMAN ! SPELDA !

La musique s'accélérait. Les voix devenaient de plus en plus discordantes.

– REVIENS ! cria Spic en se mettant à courir. NE ME LAISSE PAS !

Il courut encore et encore dans le brouillard étourdissant. Parfois il heurtait des branches et des souches sans les voir, parfois il trébuchait et s'étalait par terre. Mais à chaque fois, il se relevait, frottait ses vêtements et repartait.

Spelda était venue le chercher, c'était clair. Elle a dû savoir que j'ai eu des ennuis, pensa-t-il ; que je me suis écarté du sentier. Et elle est venue me ramener à la maison. Je ne peux pas la perdre maintenant !

Enfin, Spic la retrouva. Elle était devant lui et lui tournait le dos. La musique était devenue douce et paisible tandis que les voix entonnaient une berceuse. Spic s'approcha de la silhouette, le corps tendu par l'attente. Il courut vers elle en l'appelant par son nom. Mais Spelda ne bougeait pas.

– Maman ! cria Spic. C'est moi.

Spelda hocha la tête et se retourna lentement. Spic tremblait de la tête aux pieds. Pourquoi se comportait-elle si bizarrement ?

La musique n'était plus qu'un bruit de fond. Spelda se dressait devant son fils, tête baissée, la capuche de son manteau de fourrure rabattue sur son visage. Lentement, elle lui ouvrit les bras pour le serrer contre son cœur. Spic s'approcha.

À cet instant, Spelda poussa un cri terrible et vacilla en secouant la tête en tous sens. La musique reprit de la vigueur, adoptant un rythme haletant qui évoquait un cœur affolé. Spelda hurla de nouveau – hurlement sauvage qui glaça Spic jusqu'au sang – puis frappa frénétiquement l'air.

– Maman d'amour ! cria Spic. Qu'est-ce qui se passe ?

Il vit le sang couler d'une blessure à la tête. Une autre entaille apparut sur son épaule, puis une autre sur son dos. Le manteau bleu prit une teinte violacée tant il y avait de sang. Spelda continuait de se tordre, de hurler et de se battre contre un assaillant invisible.

Spic ouvrait des yeux épouvantés. Mais il ne pouvait rien faire. Il ne s'était jamais senti aussi inutile de sa vie.

Soudain, il vit Spelda porter la main à son cou. Le sang jaillit entre ses doigts. Elle poussa un gémissement, s'effondra sur le sol et fut prise d'horribles convulsions.

Puis elle s'immobilisa.

– NOOOONNN ! vagit Spic.

Il tomba à genoux et secoua le corps par les épaules. Il n'y avait plus trace de vie.

– Elle est morte, sanglota-t-il, et c'est ma faute. Pourquoi ? hurla-t-il. Pourquoi ? Pourquoi ? Pourquoi ?

Des larmes brûlantes coulaient sur ses joues pour s'écraser sur le manteau maculé de sang pendant que Spic étreignait le corps sans vie de sa mère.

– C'est ça, fit une voix au-dessus de lui. Fais tout sortir. Lave donc tous ces mensonges.

– Qui est là ? fit Spic en levant la tête.

Il s'essuya les yeux, mais ne vit personne. Les larmes continuaient à couler.

– C'est moi et je suis ici, dit la voix.

Spic scruta l'endroit d'où venait la voix, mais ne vit toujours rien. Il se redressa et tira son couteau de sa ceinture avant de crier :

– Allez, viens ! Essaye donc de m'avoir, moi aussi, fit-il en donnant des coups dans le vide. VAS-Y ! rugit-il. MONTRE-TOI, ESPÈCE DE LÂCHE !

Mais ce fut en vain. L'assassin invisible demeurait invisible. La vengeance devrait attendre. Des larmes de chagrin, de frustration et de rage dévalaient les joues de Spic. Il ne pouvait s'arrêter de pleurer.

Puis il se produisit quelque chose d'étrange. Spic pensa d'abord qu'il se faisait des idées. Mais non. Tout ce qui l'entourait se modifiait doucement. La brume se dissipait, la lumière turquoise faiblissait… la musique elle-même s'éloignait. Spic s'aperçut qu'il se trouvait toujours dans la forêt. Se retournant avec inquiétude, il découvrit ce qui lui avait parlé.

– Toi ! s'étonna-t-il, reconnaissant la créature dont Étoupe lui avait conté maintes histoires.

C'était un oisoveille, ou plutôt l'oisoveille, car tous se considéraient comme un seul et même animal. Le chagrin prit Spic à la gorge. Il sanglota :

– Pourquoi ? Pourquoi tuer Spelda ? Ma propre mère !

Le grand oisoveille pencha la tête de côté. Un rayon de soleil éclaira le gros bec cornu tandis qu'un œil violacé pivotait pour examiner le garçon.

– Ce n'était pas ta mère, Spic, répondit-il.

– Mais je l'ai vue, protesta Spic. J'ai entendu sa voix. Elle a dit qu'elle était ma mère. Pourquoi aurait-elle…

– Regarde bien, dit l'oisoveille.

– Je…

– Regarde ses doigts. Regarde le bout de ses pieds. Écarte ses cheveux pour regarder son visage et dis-moi si c'est ta mère, insista l'animal.

Spic retourna auprès du corps et s'accroupit. La silhouette n'était déjà plus la même. Le manteau évoquait moins un vêtement qu'un pelage. Spic fit courir son regard le long du bras étendu et dut admettre qu'aucune manche ne pouvait être aussi ajustée. Soudain il aperçut une main, ou plutôt trois doigts squameux terminés par des griffes orangées. C'était pareil pour les pieds. Spic eut un hoquet et interrogea l'oisoveille du regard :

– Mais…

– La figure, coupa l'oiseau. Regarde la figure et vois de quoi je t'ai sauvé.

Les doigts tremblants, Spic tendit la main pour écarter les mèches de poils. Il poussa un cri d'horreur. Rien n'aurait pu le préparer à une pareille vision.

Une peau tendue, pareille à du papier huilé brun enveloppant un crâne ; de gros yeux jaunes et globuleux qui le fixaient sans le voir ; une bouche bordée de dents crochues, tordue par la rage et la douleur.

– Qu'est-ce que c'est ? s'enquit-il doucement. Le luminard ?

– Oh, non ! pas le luminard, répondit l'oiseau.
Certains appellent ça un fourrecrâne. Il s'attaque aux
rêveurs qui se perdent parmi les arbres aux berceuses.

Spic leva les yeux. Il y avait des arbres aux berceuses
tout autour de lui, qui fredonnaient doucement dans la
lumière mouchetée. Il toucha le foulard autour de son
cou.

– Lorsque tu es au milieu des arbres aux berceuses,
reprit l'oiseau, tu ne vois que ce que les arbres veulent que
tu voies... jusqu'à ce qu'il soit trop tard. Heureusement
pour toi que j'ai éclos pile au bon moment.

Juste au-dessus de l'oisoveille, un cocon géant pendait comme une vieille chaussette.

– Tu es sorti de ça ? demanda Spic.

– Naturellement, fit l'oiseau. De quoi d'autre ? Aaah !
tu as encore beaucoup à apprendre, mon petit. Étoupe
avait raison.

– Tu connais Étoupe ? s'exclama Spic. Je ne comprends pas.

– Étoupe dort dans nos cocons et connaît nos
rêves, expliqua l'oisoveille avec un petit mouvement
d'impatience. Oui, je connais Étoupe comme je connais
tous les autres oisoveilles. Nous partageons les mêmes
rêves.

– Comme je voudrais qu'Étoupe soit là, fit tristement
Spic. Il saurait ce que je dois faire. Je suis un incapable,
soupira-t-il, la tête bourdonnant de la mélopée des arbres.
Je ne suis qu'un troll des bois complètement raté. J'ai
quitté le chemin. Je me suis à tout jamais perdu et je ne
peux m'en prendre qu'à moi-même. Je regrette que... que
le fourrecrâne ne m'ait pas arraché membre après membre. Au moins ça aurait été fini !

– Voyons, voyons, fit gentiment l'oisoveille qui s'approcha en sautillant. Tu sais très bien ce que te dirait Étoupe, non ?

– Je ne sais rien, gémit Spic. Je suis lamentable.

– Il dirait, reprit l'oiseau, que si tu t'écartes du sentier battu, tu n'as plus qu'à ouvrir un nouveau sentier que les autres pourront suivre. Ton destin t'attend par-delà les Grands Bois.

– Par-delà les Grands Bois ? s'étonna Spic en plongeant son regard dans les yeux violacés de l'oisoveille. Mais il n'existe rien d'autre que les Grands Bois. Les Grands Bois sont sans fin. Il y a ce qui est en haut et ce qui est en bas. Le ciel est en haut, les bois sont en bas et voilà. Chaque troll des bois sait qu'il en est ainsi.

– Chaque troll des bois reste sur le sentier, répliqua doucement l'oiseau. Peut-être qu'il n'y a rien au-delà pour un troll, et qu'il y a quelque chose pour toi.

Soudain, avec un claquement sonore de ses ailes d'un noir de jais, l'oisoveille quitta sa branche et s'éleva dans le ciel.

– ARRÊTE ! hurla Spic, mais il était déjà trop tard.

Le grand oiseau disparaissait au-dessus des arbres. Spic regarda misérablement devant lui. Il aurait voulu appeler, il aurait voulu crier, pourtant la crainte d'attirer l'attention d'une créature hostile l'empêcha de desserrer les lèvres.

– Tu étais là pour mon éclosion et je veillerai toujours sur toi, lui lança la voix lointaine de l'oiseau. Je serai là quand tu auras réellement besoin de moi.

– J'ai réellement besoin de toi maintenant, marmonna sombrement Spic.

Il donna un coup de pied dans la dépouille du fourrecrâne, qui émit un long gémissement à peine audible.

Ou bien ne s'agissait-il que de la plainte des arbres aux berceuses ? Spic n'attendit pas de le découvrir. Il quitta les arbres aux berceuses et courut toujours plus avant dans les profondeurs infinies des Grands Bois touffus et obscurs.

La nuit engloutissait de nouveau la forêt quand Spic cessa de courir. Il s'arrêta, mains sur les hanches, tête baissée, le souffle coupé et cherchant l'air.

– Je n... ne peux plus... faire un pas de plus, fit-il, haletant. Je ne peux plus.

Il fallait se rendre à l'évidence : Spic n'avait plus qu'à trouver un lieu sûr pour la nuit. L'arbre le plus proche était doté d'un tronc massif et d'une épaisse masse de grandes feuilles vertes qui le protégeraient en cas de pluie. Mais surtout, il paraissait inoffensif. Spic rassembla toute une pile de feuilles mortes dans un creux, entre les racines de l'arbre. Puis il se glissa sur son matelas de fortune, se roula en boule et ferma les yeux.

Tout autour de lui se faisaient entendre plaintes, cris et gémissements. Spic croisa les bras sur sa tête pour s'isoler du vacarme. Tout va bien, se répéta-t-il. L'oisoveille a promis de veiller sur moi.

Et il s'endormit, sans savoir qu'au même moment, l'oisoveille avait fort à faire avec une famille de nymphes des fourrés, à des lieues de là.

Le carnasse

C E NE FUT AU DÉBUT RIEN DE PLUS QU'UN CHATOUILLIS, et Spic l'écarta dans son sommeil. Il fit claquer ses lèvres et roula sur le côté. Niché dans sa couche de feuilles, au pied de l'arbre ancestral, Spic paraissait très jeune, petit et vulnérable.

La créature qui le chatouillait ainsi était longue, mince et agitée. Dès que la respiration de Spic eut repris un rythme régulier, la bête se tortilla en l'air juste devant le visage du garçon. À chaque expiration, elle remuait et se contorsionnait dans le souffle chaud. Tout à coup, elle bondit en avant et se mit à tâter la chair tout autour de la bouche de Spic.

Celui-ci grommela sans se réveiller, se passant la main sur les lèvres. L'espèce de vermisseau échappa aux doigts minces et se réfugia dans le tunnel obscur d'où s'échappait l'air chaud.

Aussitôt réveillé, Spic se redressa vivement, le cœur battant. Il avait quelque chose d'enfoncé dans la narine droite !

Il se prit le nez et se moucha à en avoir les larmes aux yeux. Aussitôt, la chose dévala la membrane lisse à l'intérieur de son nez et tomba par terre. Spic eut un mouvement de recul, et la douleur lui fit fermer les yeux. Les battements de son cœur s'accélérèrent encore. Qu'est-ce que c'était ? Qu'est-ce que cela pouvait bien être ? La peur et la faim se disputaient le creux de son estomac.

Osant à peine regarder, Spic entrouvrit un œil. Il saisit un éclat vert émeraude, et, craignant le pire, recula à quatre pattes. Mais, aussitôt, il glissa. Sa jambe dérapa et il s'effondra sur les coudes. Il scruta de nouveau la pénombre du petit matin et s'aperçut que la mince créature n'avait pas bougé.

– Que je suis bête, fit Spic. Ce n'est qu'une chenille.

Il s'assit et scruta la voûte sombre au-dessus de lui. Derrière les feuilles noires, le ciel était passé du brun au rouge. Il faisait chaud, mais Spic sentait l'humidité matinale des Grands Bois sous ses jambes. Il était temps de se remettre en route.

Spic se releva et entreprit de brosser feuilles et brindilles de sa veste en peau de hammel quand, WOUUCHHHH, un sifflement retentit, pareil à un coup de fouet. Spic eut un hoquet de surprise et regarda, pétrifié par l'horreur, la chenille vert émeraude se jeter sur lui pour s'enrouler une, deux, puis trois fois autour de son poignet.

– Aaaargh ! hurla-t-il en sentant des épines s'enfoncer dans sa chair.

Il se maudit de s'être laissé ainsi surprendre. La petite créature verte n'avait rien d'une chenille : c'était une plante rampante, l'extrémité émeraude d'une longue liane hérissée qui se tortillait et se balançait au plus sombre de la forêt, guettant, tel un serpent vicieux, la moindre proie à sang chaud. Spic venait d'être pris au lasso par la terrible sanguinaria.

– Lâche-moi ! cria-t-il en tirant frénétiquement sur la liane résistante. MAIS LÂCHE-MOI DONC !

Plus il tirait, plus les épines semblables à des crocs s'enfonçaient dans sa chair douce, sur la face interne de son bras. Spic poussa un cri de douleur et regarda, terrifié, les petites gouttes de sang enfler puis éclater pour s'écouler en filets vers sa main.

Un vent lourd et écœurant effleura ses cheveux et prit à rebrousse-poil son gilet en peau de hammel à cornes. Il emporta vers l'ombre l'odeur de son sang chaud. De l'obscurité se fit alors entendre le claquement impatient d'un millier de crocs aiguisés comme des rasoirs. Puis le vent tourna, et Spic eut un haut-le-cœur en respirant l'odeur métallique de la mort.

Il griffa et gratta tant qu'il put la liane. Il la mordit, mais pour en recracher aussitôt l'amertume répugnante. Il tira, s'arc-bouta, tenta de briser l'épouvantable ronce, mais elle était trop résistante. Impossible de s'arracher à son étreinte sauvage. Impossible de se libérer.

Soudain, la liane donna une poussée formidable, et Spic fut projeté en avant.

– Mffffbleutchh ! cracha-t-il en atterrissant lourdement par terre, la bouche pleine d'humus brunâtre.

Cela avait goût… de saucisses de tilde. Mais rances, avariées. Il cracha et aurait vomi s'il n'avait eu le ventre vide.

– Arrête ! cria-t-il.

La sanguinaria ne lui prêta aucune attention. Elle traîna sa victime sur les pierres et les racines ; à travers tigelles et orties des bois. Elle la heurta, la secoua, l'écrasa.

Mais Spic savait que les coups, les chutes et les piqûres n'étaient rien à côté de ce qui l'attendait. Passant près d'un buisson de peignée, il en saisit une branche et s'y accrocha avec la force du désespoir. Mais où était l'oisoveille quand on avait besoin de lui ?

Pendant un instant, la liane buta contre une racine. Un piaillement de fureur jaillit alors de l'ombre, et la sanguinaria fit résonner comme une onde de choc sur toute sa longueur. Spic s'accrocha à la peignée aussi solidement qu'il put, mais la ronce l'emporta. Elle déracina le buisson, entraînant Spic au ras de terre plus vite que jamais.

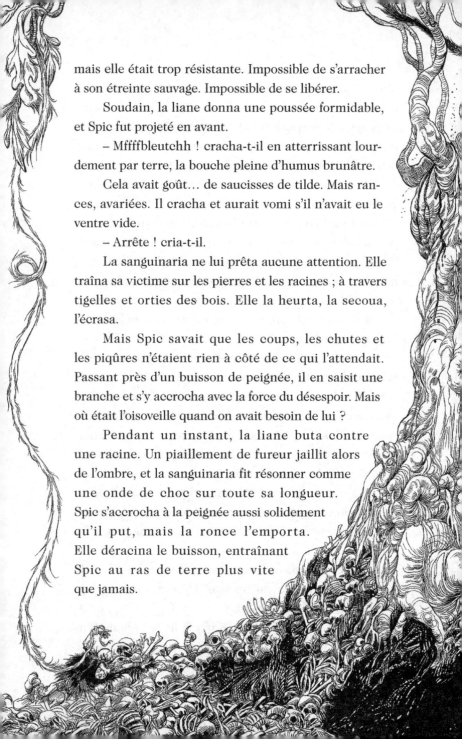

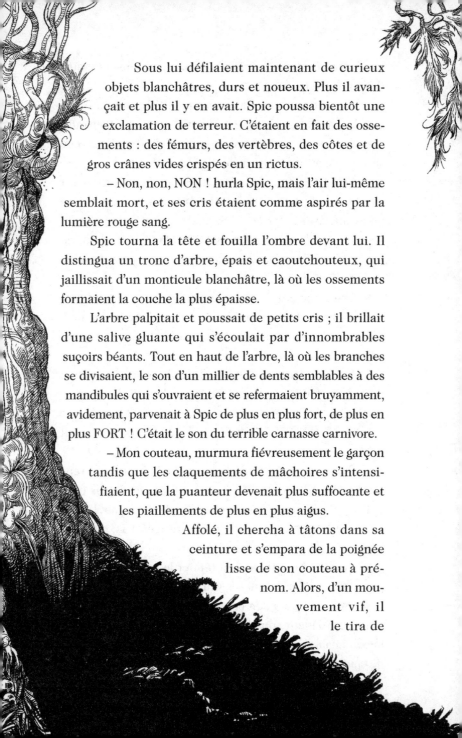

Sous lui défilaient maintenant de curieux objets blanchâtres, durs et noueux. Plus il avançait et plus il y en avait. Spic poussa bientôt une exclamation de terreur. C'était en fait des ossements : des fémurs, des vertèbres, des côtes et de gros crânes vides crispés en un rictus.

– Non, non, NON ! hurla Spic, mais l'air lui-même semblait mort, et ses cris étaient comme aspirés par la lumière rouge sang.

Spic tourna la tête et fouilla l'ombre devant lui. Il distingua un tronc d'arbre, épais et caoutchouteux, qui jaillissait d'un monticule blanchâtre, là où les ossements formaient la couche la plus épaisse.

L'arbre palpitait et poussait de petits cris ; il brillait d'une salive gluante qui s'écoulait par d'innombrables suçoirs béants. Tout en haut de l'arbre, là où les branches se divisaient, le son d'un millier de dents semblables à des mandibules qui s'ouvraient et se refermaient bruyamment, avidement, parvenait à Spic de plus en plus fort, de plus en plus FORT ! C'était le son du terrible carnasse carnivore.

– Mon couteau, murmura fiévreusement le garçon tandis que les claquements de mâchoires s'intensifiaient, que la puanteur devenait plus suffocante et les piaillements de plus en plus aigus.

Affolé, il chercha à tâtons dans sa ceinture et s'empara de la poignée lisse de son couteau à prénom. Alors, d'un mouvement vif, il le tira de son fourreau, leva son bras au-dessus de sa tête et l'abattit de toutes ses forces.

Il y eut une sorte de fracas pâteux, et un jet d'une matière verte et visqueuse le frappa au visage. Pourtant, bien que son bras fût soudain repoussé en arrière, Spic savait qu'il avait touché juste. Il s'essuya les yeux.

Oui ! La liane se balançait bien d'un mouvement hypnotique juste devant lui. D'avant en arrière, d'arrière en avant, avant, arrière... Spic était cloué sur place. Il regarda, figé, la substance se solidifier là où la sanguinaria avait été tranchée pour former une grosse pustule verte de la taille d'un poing.

Brusquement, la peau caoutchouteuse se fendit et, avec un bruit de succion répugnant, un long tentacule à l'extrémité vert émeraude jaillit de la blessure. Il parut humer l'air et se mit à vibrer.

Puis un deuxième tentacule jaillit, et un troisième. Spic était pétrifié. Au lieu d'une liane, il y en avait maintenant trois. Elles prirent leur élan, prêtes à frapper et – S-S-S-S-SWOOUUUUCH ! – s'élancèrent toutes en même temps.

Spic poussa un hurlement de douleur et de terreur lorsque les tentacules s'enroulèrent autour de ses chevilles, puis, avant qu'il puisse faire quoi que ce soit, la sanguinaria le renversa et le souleva, tête en bas, dans les airs.

Le sang lui affluait à la tête et la forêt tout entière parut se brouiller devant ses yeux. Il avait énormément de mal à ne pas lâcher son couteau. Luttant, se contorsionnant et grognant sous l'effort, il parvint à se redresser, s'accrocha aux trois lianes et se mit à les larder de coups de couteau.

– MAIS POUR L'AMOUR DU CIEL, LÂCHEZ-MOI !
cria-t-il.

Du liquide verdâtre commença aussitôt à bouillonner à la surface des blessures. Huileux et glissant, il coula sur le couteau puis sur la main de Spic, qui lâcha prise et se sentit dégringoler.

Suspendu par un pied, Spic tordit le cou en arrière pour regarder en bas. Il se trouvait au-dessus du tronc principal du carnasse. Les milliers de dents acérées qu'il avait déjà entendues claquer si avidement se trouvaient juste au-dessous de lui. Disposées en un vaste cercle, elles luisaient dans la lumière rougeoyante.

Brusquement, les dents s'écartèrent, et Spic découvrit les profondeurs cramoisies de l'arbre sanguinaire. Celui-ci bavait et salivait bruyamment, dégageant une puanteur atroce. Spic sentit son cœur se soulever.

Jamais il ne pourrait voguer sur les bateaux des pirates du ciel. Jamais il ne saurait quel était son destin. Jamais même, il ne sortirait des Grands Bois.

Usant ce qui lui restait de forces, Spic se débattit pour se relever une dernière fois. Le gilet en peau de hammel lui tomba sur les yeux. Il sentit la fourrure se hérisser lorsqu'il la frotta à rebrousse-poil. Encore et encore, il donna des coups de reins, et parvint enfin à attraper la liane. Au même instant, celle-ci lui lâcha les pieds.

Spic poussa un cri de terreur en se sentant tomber. Il enfonça ses ongles dans la terrible ronce. Il ne voulait plus se libérer de la sanguinaria, mais s'y accrochait désespérément – tout pour ne pas sombrer dans la bouche béante du carnasse. Passant une main devant l'autre, il s'efforça de grimper comme à la corde lisse, mais la liane rendue glissante par le liquide verdâtre lui filait entre les doigts. Pour chaque centimètre de gagné, il en perdait une demi-douzaine.

– Au secours, gémit-il. Aidez-moi.

La liane eut un violent sursaut. Spic perdit prise, et la sanguinaria le précipita vers le tronc.

Tout debout, les bras battant frénétiquement l'air, Spic tomba. Il atterrit avec un bruit écœurant à l'intérieur de

la gueule caverneuse du carnasse. Les dents se refermèrent avec un claquement sec au-dessus de sa tête.

Il faisait un noir d'encre à l'intérieur du tronc, et il
s'y faisait entendre un gargouillis immonde.

– Je ne peux pas bouger, hoqueta Spic, sentant
la gorge monstrueuse l'emprisonner et des anneaux
de bois musculeux se resserrer sur lui. Je ne peux plus
res... pi... rer !

Une pensée l'envahissait, trop horrible pour qu'il
l'accepte : je suis mangé vivant ! Et pourtant, il ne
cessait de descendre plus loin, toujours plus loin. Mangé
vivant...

Soudain, le carnasse fut tout entier secoué d'un
tremblement. Une toux pareille à une éruption volcanique
jaillit des entrailles de l'arbre, le souffle d'air pestilentiel
desserrant un instant l'étreinte des muscles autour de leur
victime.

Spic aspira l'air et glissa encore un peu plus. L'épaisse
fourrure de son gilet de hammel crépita en subissant cet
involontaire frottement à rebrousse-poil. Le carnasse se
remit à trembler.

Les gargouillis s'intensifièrent tandis que le carnasse
continuait à tousser. Le tube spongieux finit par être intégralement secoué par un rugissement assourdissant. Spic
sentit quelque chose d'étrange pousser sous ses pieds et le
faire remonter.

Tout à coup, l'arbre, pris d'une quinte de toux, relâcha de nouveau son étreinte. Il fallait qu'il se débarrasse
de cette chose piquante qui lui irritait la gorge. Le carnasse éructa, et la pression de l'air accumulé en bas
explosa avec une telle violence qu'elle fit remonter Spic
jusqu'en haut du tronc creux.

Là, il jaillit à l'air libre avec un gros POP ! et s'éleva vers le ciel dans une pluie de bave et de liquide visqueux. Pendant un bref instant, Spic eut l'impression de voler. Toujours plus haut, toujours plus loin, il planait comme un oiseau.

Puis il redescendit, fracassant quelques branches au passage, à toute vitesse vers le sol, où il atterrit avec un choc sourd qui ébranla tous les os de son corps. Il resta un moment immobile, osant à peine croire à ce qui venait de se produire.

– Tu m'as sauvé la vie, dit-il enfin en caressant le gilet en peau de hammel à cornes. Merci de ton cadeau, Ma-Tatoum.

Spic avait mal partout, mais n'était pas blessé ; il pensa soudain que quelque chose avait dû amortir sa chute, et tâta le sol sous lui.

– Ouille ! protesta une voix.

Étonné, Spic roula sur lui-même et leva les yeux. Ce n'était pas quelque chose, mais quelqu'un ! Il resserra les doigts sur son couteau, qu'il n'avait pas lâché.

CHAPITRE 6

La colonie des gobelins de brassin

S PIC SE RELEVA PÉNIBLEMENT ET REGARDA QUI GISAIT sur le sol. L'inconnu avait la tête plate, le nez proéminent et la paupière épaisse. Vêtu de haillons malpropres, il était couvert de poussière de la tête aux pieds. Il contemplait Spic d'un œil soupçonneux.

– Vous nous êtes tombé dessus de très haut, constata-t-il.

– Je sais et je suis désolé, répondit Spic avec un frisson. Vous n'imaginez pas ce que je viens de traverser…

– Vous nous avez fait mal, l'interrompit le gobelin d'une voix nasillarde qui bourdonna dans la tête de Spic. Seriez-vous le luminard ?

– Le luminard ? s'écria Spic. Bien sûr que non !

– La créature la plus effrayante de tous les Grands Bois, très certainement, commenta le gobelin en remuant les oreilles. Il se tient tapi dans les coins sombres du ciel et tombe sur ceux qui s'y attendent le moins. Mais peut-être le savez-vous déjà ? ajouta-t-il en plissant les paupières pour ne plus laisser que deux fentes.

– Je ne suis pas le luminard, répéta Spic.

Il rangea son couteau dans son étui, tendit la main et aida le gobelin à se relever. La main osseuse était chaude et poisseuse au toucher.

– Mais je vais vous expliquer, ajouta Spic. Il s'en est fallu de peu que je sois mangé par un carna…

Mais le gobelin ne l'écoutait déjà plus. Il lança vers l'ombre :

– Il dit qu'il n'est pas le luminard.

Deux autres gobelins courtauds et ramassés surgirent. Mis à part les taches boueuses différentes qu'ils avaient sur le visage, ils étaient identiques au premier. Spic plissa le nez en respirant l'odeur écœurante qu'ils dégageaient.

– Dans ce cas, fit le premier, nous ferions mieux de rentrer à la colonie. Notre Grossemère va se demander où nous sommes.

Les autres opinèrent du bonnet, ramassèrent leurs ballots d'herbe et les placèrent en équilibre sur leur tête plate.

– Attendez ! cria Spic. Vous ne pouvez pas me laisser comme ça. Il faut que vous m'aidiez. Revenez ! cria-t-il en courant après eux.

La forêt était très dense à cet endroit. Par les rares trouées dans les feuillages, Spic vit que le ciel était passé au bleu rosé. Le jour avait du mal à pénétrer dans les sous-bois.

– Pourquoi ne voulez-vous pas m'écouter ? demanda tristement Spic.

– Pourquoi le devrions-nous ? lui répondit-on.

– Je suis fatigué, et j'ai faim, avoua le garçon, tremblant de solitude.

– Et alors ? raillèrent les gobelins.

– Je suis perdu, s'emporta Spic en se mordant la lèvre inférieure. Est-ce que je peux venir avec vous ?

Le gobelin qui marchait juste devant lui se retourna et haussa les épaules.

– Ça nous est égal.

Spic poussa un soupir. Il n'obtiendrait certainement rien de mieux en matière d'invitation. Au moins ne lui avaient-ils pas dit de ne pas venir avec eux. Les gobelins étaient certes désagréables, mais Spic avait déjà appris à ne pas se montrer trop difficile, dans les Grands Bois. Ainsi, tout en arrachant les débris de sanguinaria encore accrochés à ses poignets, Spic les suivit.

– Vous avez des noms ? demanda-t-il un peu plus tard.

– Nous sommes les gobelins de brassin, répondirent-ils tous en même temps.

Un peu plus loin, ils furent soudain rejoints par trois autres gobelins, puis par encore trois autres... et encore par six autres. Ils étaient tous identiques. Seuls les objets qu'ils portaient sur leur tête plate pouvaient permettre de les différencier. L'un d'eux portait un plateau en osier plein de baies sauvages, un autre un panier de racines tubéreuses, un autre encore une énorme gourde rebondie jaune et violette.

Tout à coup, la foule pressée émergea de la forêt, et Spic fut emporté avec eux vers une clairière baignée de soleil. Devant lui se dressait un édifice somptueux réalisé dans une sorte de cire rosée, percé de fenêtres tombantes

et de tours affaissées. Il était aussi haut que le plus haut des arbres et s'étendait au-delà de ce que Spic pouvait voir.

Les gobelins se mirent à bavarder avec excitation.

– Nous sommes de retour, s'écrièrent-ils en courant. Nous sommes rentrés. Notre Grossemère sera fière de nous. Notre Grossemère va nous nourrir.

Pressé de toutes parts par la foule excitée, Spic avait du mal à respirer. Il sentit soudain ses pieds décoller du sol et se retrouva emporté contre son gré. Un grand portail apparut devant lui. L'instant d'après, le flot de gobelins de brassin l'aspirait sous l'arche immense et l'entraînait au plus profond de la colonie.

Une fois à l'intérieur, les gobelins se précipitèrent dans toutes les directions. Spic trébucha et tomba avec un bruit sourd. De plus en plus de gobelins continuaient à arriver. Ils lui marchaient sur les mains, sur les jambes. Levant un bras pour se protéger, Spic parvint à se relever et essaya en vain de regagner le portail.

Poussé, bousculé, il fut entraîné de l'autre côté de l'entrée puis dans l'un des nombreux tunnels. L'air devint étouffant. Les murs, chauds et collants, luisaient d'un éclat rose sombre.

– Il faut que vous m'aidiez, supplia Spic à l'adresse des gobelins qui le dépassaient. J'ai faim ! cria-t-il en s'emparant d'une longue succatille dans un panier qui passait à portée.

Le gobelin à qui appartenait le fruit se retourna furieusement.

– Ce n'est pas pour vous ! fit-il d'un ton sec en lui reprenant la succatille.

– Mais j'en ai besoin, protesta faiblement Spic.

Le gobelin lui tourna le dos et s'éloigna. Spic sentit la colère bouillonner en lui. Il était affamé. Les gobelins avaient de quoi manger, mais ne voulaient rien lui donner. Tout à coup, sa colère explosa.

Le gobelin aux succatilles n'était pas parti bien loin. Spic prit son élan, se jeta sur ses chevilles… et le manqua.

Il se redressa, étourdi. Il était tombé près d'une alcôve étroite ménagée dans le mur. C'était dans ce renfoncement que le gobelin s'était réfugié. Spic se releva avec un sourire sans joie. Le gobelin ne pouvait plus fuir.

– Toi, là-bas ! cria Spic. Je veux quelques-uns de ces fruits, et je les veux tout de suite.

Les succatilles rouges brillaient dans la lumière rose. Spic sentait déjà leur chair sucrée sur sa langue.

– Je vous l'ai déjà dit, répliqua le gobelin en descendant le panier de sa tête. Ces fruits ne sont pas pour vous.

Là-dessus, il renversa toute sa provision de succatilles dans un trou ménagé dans le sol. Spic entendit les fruits dégringoler pour atterrir beaucoup plus bas avec un platch étouffé.

Bouche bée, Spic examina le gobelin. Enfin, il demanda :

– Pourquoi avez-vous fait cela ?

Mais le gobelin s'éloigna sans un mot.

Spic se laissa tomber par terre. Quelles horribles bestioles, songea-t-il. D'autres arrivaient avec leurs charges de racines, de fruits, de baies et de feuilles. Personne ne parut remarquer Spic. Personne ne l'entendit mendier à manger. Spic finit par se taire et contempla le sol poisseux. Le flot des gobelins diminua.

Ce n'est qu'au moment où un retardataire arriva, grommelant au sujet de l'heure, que Spic releva la tête.

Le gobelin était dans tous ses états. Ses mains tremblaient lorsqu'il renversa sa charge de délicieux tubercules jaunes sur le tas.

– Enfin, soupira-t-il. Et maintenant, à manger.

À manger. À manger. Ces mots merveilleux résonnèrent autour de la tête de Spic. Il bondit et suivit le gobelin.

Deux virages à droite et une fourche vers la gauche plus tard, Spic se retrouva dans une vaste salle assez sombre. Elle était circulaire, avec un haut plafond voûté, des murs luisants et d'énormes piliers semblables à des chandelles dégoulinantes. L'air, chargé de parfum sucré et vaguement écœurant, semblait coller à la peau.

Quoique pleine à craquer, la salle était parfaitement calme. Les gobelins de brassin avaient tous la tête levée, la bouche ouverte et les yeux écarquillés pour fixer un point situé exactement au milieu de la voûte du plafond. Spic suivit leur regard et vit un grand tube descendre lentement. Des nuages de vapeur rosée jaillissaient à son extrémité, rendant l'air moite plus étouffant encore.

Le tube s'immobilisa à quelques centimètres au-dessus d'une cuve. Les gobelins retenaient tous leur souffle. Il y eut un déclic, des gargouillis, un ultime petit jet de vapeur, puis un torrent de miel rose et épais se déversa brusquement du tube dans le récipient au-dessous.

À la vue du miel, les gobelins devinrent comme fous. Le ton monta, les poings voltigèrent. Les plus éloignés poussaient pour s'approcher de la cuve, et ceux qui se trouvaient devant se battaient entre eux. Ils se donnaient des coups de poing, des coups de griffes, se déchiraient les vêtements, pour être les premiers à goûter au miel rose fumant.

Spic s'écarta de la bagarre. Il chercha à tâtons le mur derrière lui et parvint à se frayer un chemin hors de la salle voûtée. Dès qu'il trouva un escalier, il s'empressa de le gravir. Puis il s'arrêta à mi-hauteur, s'assit sur une marche et regarda la mêlée tout en bas.

En se battant pour obtenir le plus de nectar possible, les gobelins en avaient mis partout. Certains buvaient dans leurs mains, d'autres plongeaient carrément la tête dans le liquide épais pour l'aspirer à grosses gorgées gloutonnes. Il y en avait même un qui était entré dans la cuve et s'était couché, bouche ouverte, sous le flot de miel, une expression de satisfaction stupide répandue sur sa figure poisseuse.

Dégoûté, Spic secoua la tête.

Tout à coup, un gros CLONK retentit, et le flot de miel rose s'interrompit. L'heure du repas était terminée. Un grognement timide se fit entendre, et plusieurs gobelins grimpèrent dans la cuve pour en lécher les parois. Les autres commencèrent à partir les uns derrière les autres ; calmement, tranquillement. Une fois la faim des gobelins rassasiée, la frénésie s'était dissipée.

La salle s'était intégralement vidée. Spic se releva avant de s'immobiliser aussitôt. Un autre bruit lui parvenait : POUF-HAN. Puis cela faisait FLOC, CLIC-CLIC. Et de nouveau POUF-HAN, FLOC, CLIC-CLIC.

Le cœur battant, Spic se retourna et scruta l'obscurité au-dessus de lui. Il toucha nerveusement ses amulettes.

POUF-HAN, FLOC, CLIC-CLIC.

Spic suffoquait de terreur. Quelque chose se rapprochait. Quelque chose dont le bruit ne lui plaisait pas du tout.

POUF-HAN, FLOC, CLIC-CLIC. GRUMPF !

Tout à coup, l'encadrement de la porte en haut de l'escalier disparut derrière la créature la plus GRANDE, la plus GROSSE, la plus MONSTRUEUSEMENT GRASSE que Spic eût JAMAIS vue. Elle – car elle était du genre féminin – remua la tête et examina la scène. Ses petits yeux ronds roulèrent au-dessus de ses grosses joues, et les rouleaux de graisse qu'elle avait autour du cou s'agitèrent.

– Pas de paix pour les mauvais, marmonna-t-elle d'une voix qui évoquait un bouillonnement boueux. Blob blob blob blob blob blob. Mais, ajouta-t-elle doucement en faisant passer son seau et son balai à franges dans son autre main, les garçons de Grossemère en valent la peine.

Elle poussa et força pour réussir à passer la porte, morceau tremblotant par morceau tremblotant. Spic bondit sur ses pieds, dévala les marches et alla se réfugier

dans la seule cachette possible : sous la cuve. Le bruit
continuait – POUF-HAN, FLOC, CLIC-CLIC. POUM !
Spic jeta un coup d'œil dans la salle.

La Grossemère avançait rapidement pour quelqu'un
d'une telle corpulence. Et elle se rapprochait, se rapprochait encore. Spic eut un frisson de peur. Elle a dû me
voir, pensa-t-il avant de s'enfoncer le plus loin possible
dans l'ombre.

Le seau s'abattit avec fracas sur le sol. Le balai à
franges plongea dans l'eau, et la Grossemère entreprit de
nettoyer les saletés laissées par ses « garçons ». Dans la
cuve et tout autour, elle passa le balai en fredonnant avec
une respiration sifflante. Enfin, elle saisit le seau et jeta
l'eau restante sous la cuve.

Spic poussa un cri de surprise. L'eau était glacée.

– Qu'est-ce que c'est ? piailla la Grossemère, qui se mit à pousser dans tous les sens son balai à franges sous la cuve.

Spic parvint à plusieurs reprises à éviter le danger, mais la chance finit par l'abandonner. Le balai lui heurta la poitrine et l'envoya dinguer en arrière, à découvert. La Grossemère fondit aussitôt sur lui.

– Beurk ! s'exclama-t-elle. Quelle vermine dégoûtante… repoussante… ignoble, qui contamine ma superbe colonie !

Elle saisit Spic par l'oreille, le souleva du sol et le laissa tomber sans ménagement dans le seau. Puis elle enfonça le balai à franges sur lui, prit l'ensemble et remonta l'escalier.

Spic ne bougeait pas. Sa poitrine lui faisait mal, ses oreilles bourdonnaient... et le seau se balançait. Il entendit la Grossemère forcer de nouveau pour passer la porte, puis sentit qu'elle en franchissait une autre. L'odeur douceâtre et écœurante se fit plus forte que jamais. Soudain, le seau s'immobilisa. Spic attendit un peu, puis repoussa les franges du balai et regarda par-dessus bord.

Le seau était suspendu à un crochet en hauteur, dans la vaste cuisine pleine de vapeur. Spic eut un hoquet de stupeur. Il ne voyait pas comment descendre.

Il regarda la Grossemère trembloter de toutes parts jusqu'à l'autre bout de la pièce, où deux grandes marmites chauffaient sur une cuisinière. Elle saisit une louche de bois et la plongea dans le miel rose bouillonnant.

– Mijote, mijote, chanta-t-elle. Il faut que ça mijote.

Puis elle trempa un doigt boudiné dans la marmite avant de le sucer pensivement. Son visage se fendit alors d'un sourire.

– Parfait, dit-elle. Quoique nous pourrions peut-être attendre encore un tout petit poil.

Elle reposa la louche et traîna sa monstrueuse corpulence vers un coin sombre de la cuisine. Là, curieusement placé près des placards et de la table, il y avait un puits. La Grossemère prit la poignée de bois et se mit à tourner. Lorsque l'extrémité de la corde apparut, la Grosse-mère parut perplexe.

– Où est passé ce satané seau ? marmonna-t-elle.

Puis elle se rappela.

– Allons bon ! grogna-t-elle en secouant le seau pour regarder à l'intérieur. J'ai oublié de jeter la saleté.

Spic regarda nerveusement par-dessus le bord du seau. Qu'entendait-elle exactement par « jeter la saleté » ?

Il le découvrit bien assez tôt lorsqu'un jet d'eau puissant
– si froid qu'il lui coupa le souffle – s'abattit sur lui avec
fracas.

Il se sentit tournoyer
tandis que la Grosse-
mère rinçait le seau
vigoureusement.

– Ouah !
s'écria Spic,
étourdi.

L'instant
d'après, la
Grosse-mère
renversait son
seau pour se débar-
rasser du tout – Spic
et eaux usées – dans
le vide-ordures.

– Aaaaargh ! hurla
Spic en dégringolant,
tête la première, inter-
minablement.

Puis il y eut un
grand SPLATCH ! lors-
qu'il atterrit sur un
monticule mou, chaud
et spongieux.

Spic se redressa
et regarda autour de lui.
L'espèce de long tuyau
flexible qu'il venait de
dévaler faisait en réalité

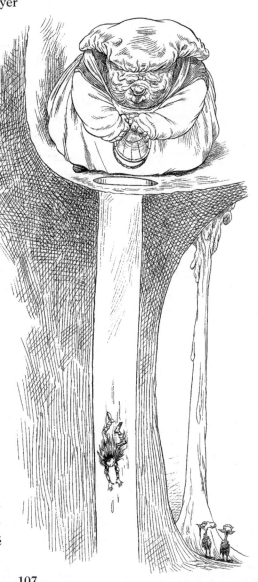

partie de tout un ensemble. Et tous les tuyaux se balançaient lentement, illuminés par le plafond d'un rose cireux
qui luisait très haut au-dessus de sa tête. Jamais il ne
pourrait remonter une telle hauteur. Qu'allait-il faire,
maintenant ?

« Commençons par le commencement », se dit Spic
en apercevant une succatille encore intacte posée sur un
tas pourrissant. Il la ramassa et la frotta sur son gilet en
peau de hammel jusqu'à ce que sa peau rouge brille de
tout son éclat. Puis il mordit avidement dans le fruit. Un
jus rougeâtre lui dévala le menton.

Spic sourit gaiement.

– Mmmiamm, succulent ! dit-il.

Chapitre 7

Échassons et nourriciers

SPIC TERMINA LA SUCCATILLE ET JETA LE NOYAU. LA FAIM douloureuse qui lui rongeait l'estomac avait disparu. Il se leva, s'essuya les mains sur sa veste et regarda autour de lui. Il se tenait au centre d'un gigantesque tas de compost dans une caverne souterraine aussi colossale que la colonie au-dessus.

Serrant les dents et s'efforçant de respirer le moins possible, Spic pataugea jusqu'à l'extrémité des débris en décomposition puis se hissa sur le rebord de terre ferme. Il leva les yeux vers le plafond incroyablement haut.

– S'il y a une entrée, marmonna-t-il, il doit y avoir une sortie.

– Pas forcément, fit une voix.

Spic sursauta. Qui avait parlé ? Ce n'est que lorsque la créature s'avança vers lui et que la lumière se refléta sur son corps transparent et sa tête en enclume que Spic se rendit compte qu'elle était toute proche.

Très grande et anguleuse, on aurait dit une sorte d'insecte géant en verre. Spic n'avait jamais rien vu de pareil. Il ne savait rien des essaims souterrains d'échassons ni des gros nourriciers dont ils s'occupaient.

Soudain, l'insecte bondit en avant et attrapa Spic par le col. Spic poussa un hurlement en se retrouvant nez à nez avec la grosse tête, deux antennes mobiles et d'énormes yeux aux facettes multiples, brillant d'une lueur verte et orangée dans la pénombre.

– J'en ai encore un par ici, cria la créature.

Il y eut un bruit de course, et l'échasson fut rejoint par trois autres.

– Je ne sais pas ce qu'elle fait, là-haut, commenta le premier.

– C'est pas du boulot, moi, je vous le dis, fit le deuxième.

– Elle sera la première à râler s'il n'y a plus de miel, fit le troisième. Il faut qu'on ait une petite conversation avec elle.

– Ça lui fera pas de mal, reprit le premier. Parce que c'est pas faute de le lui avoir répété…

– DU VÉGÉTAL, RIEN D'ANIMAL ! s'écrièrent-ils d'une seule voix, tout vibrants d'irritation.

L'insecte qui tenait Spic l'examina attentivement.

– Ça ne ressemble pas à la vermine habituelle, fit-il remarquer. Celui-ci a des poils.

Puis, sans prévenir, il se pencha de côté et mordit sauvagement Spic au bras.

– Aïe ! hurla Spic.

– Beurk ! glapit l'échasson. C'est amer !

– Pourquoi avez-vous fait ça ? questionna Spic.

– Et ça parle ! s'exclama un autre, surpris. Tu ferais mieux de mettre ça à l'incinérateur avant qu'il nous cause des ennuis.

Spic retint son souffle. L'incinérateur ? Il s'arracha à l'étreinte de l'insecte et fonça dans le réseau d'allées surélevées.

Une sonnerie d'alarme perçante retentit tandis que les quatre insectes furieux se lançaient à sa poursuite.

Spic courait toujours, et le paysage souterrain commença à se modifier. Il dépassait des champs entiers binés et ratissés par d'autres insectes jardiniers. Un peu plus loin, le sol était piqueté de points roses indiquant que quelque chose était en train de germer. Plus loin encore, les champs regorgeaient de champignons roses et luisants qui poussaient comme des bois de cerf spongieux.

– Maintenant, tu es coincé, fit une voix.

Spic s'arrêta net. Deux échassons se trouvaient devant lui. Il fit volte-face. Les deux autres s'approchaient par-derrière. Il n'y avait plus qu'une solution. Spic sauta de l'allée et se précipita dans le champ, se frayant un chemin à travers les champignons roses.

   – IL EST DANS LES LITS DE CHAMPIGNONS ! hurlèrent les insectes. ARRÊTEZ-LE !

   Spic sentit son courage l'abandonner quand il s'aperçut qu'il n'était pas seul parmi les excroissances roses. Le champ grouillait en fait d'énormes créatures pesantes, aussi transparentes que les échassons, et toutes occupées à paître les champignons.

   Spic remarqua à l'intérieur des corps le circuit parcouru par la nourriture ingérée, au fond de l'estomac puis le long de la queue pour arriver à une grosse poche rebondie remplie de liquide rose. L'une des bêtes leva les yeux et poussa un grognement bas. D'autres l'imitèrent. Les meuglements gagnèrent bientôt tout le troupeau.

   – EMPÊCHEZ LA VERMINE DE PASSER ! piaillèrent les insectes jardiniers.

   Les nourriciers se mirent en branle. Spic fonçait d'un côté, puis de l'autre, slalomant entre les bêtes

massives qui avançaient pesamment dans sa direction.
Glissant et dérapant sur les champignons écrasés, il parvint juste à temps à l'extrémité du champ. Il escaladait encore le remblai quand il sentit le souffle chaud d'un animal qui cherchait à lui mordre les chevilles.

Spic jeta autour de lui des regards affolés. L'allée partait sur sa gauche et sur sa droite, mais elle était bloquée des deux côtés. Derrière lui, les nourriciers s'étaient encore rapprochés. Il ne restait plus devant lui qu'une pente creusée de sillons qui s'enfonçait dans l'obscurité.

– Qu'est-ce que je fais ? s'exclama-t-il, haletant.

Il n'avait pas le choix. Il fallait qu'il dévale la pente. Il se retourna et se jeta tête la première vers les ténèbres.

– IL VA VERS LA FOSSE À MIEL ! hurlèrent les échassons. COUPEZ-LUI LE PASSAGE. TOUT DE SUITE !

Mais avec la poche à miel encombrante qu'ils traînaient précautionneusement derrière eux, les nourriciers avançaient lentement. Spic les laissa bientôt loin derrière en dévalant la pente. « Si je pouvais juste… » pensa-t-il. Soudain, la terre parut s'ouvrir devant lui. Spic poussa un cri. Il courait trop vite pour pouvoir s'arrêter.

– NON ! fit-il, ses jambes pédalant dans le vide. AAAAARGH !

Il tomba. PLOUP !

Il atterrit au milieu d'une grande mare, et sombra. Il ressurgit un instant plus tard, crachant et toussant, et se débattit frénétiquement.

Le liquide rose et translucide était chaud et sucré. Il pénétra dans les oreilles de Spic, dans ses yeux, dans son nez ; il s'infiltra jusque dans sa gorge.

Spic regarda les bords lisses de la fosse et émit un grognement. Tout allait de mal en pis. Jamais il ne pourrait sortir de là.

Loin au-dessus de lui, échassons et nourriciers arrivaient à la même conclusion. Spic les entendit discuter :

– Il n'y a plus rien à faire. Elle n'aura qu'à régler le problème. Nous, on a du travail.

Là-dessus, alors que Spic luttait pour ne pas s'enfoncer dans le liquide gluant, les échassons s'accroupirent et entreprirent de tirer sur les tétines qui équipaient les poches à miel des nourriciers. Des jets rosés se déversèrent dans la fosse.

– Ils sont en train de les traire, s'exclama Spic, ébahi.

Des jets de miel rose atterrissaient tout autour de lui.

– SORTEZ-MOI DE LÀ ! rugit-il. Vous ne pouvez pas me laisser ici. Bloub bloub bloub bloub...

Spic coulait. Le gilet en peau de hammel à cornes qui l'avait sauvé du carnasse menaçait maintenant de causer sa perte. Imbibé du liquide gluant, il devenait en effet trop lourd et entraînait son propriétaire vers le fond. Spic, yeux ouverts, s'efforçait de nager vers la surface de cette masse rose et visqueuse. Mais ses bras et ses jambes refusaient d'obéir. Il était à bout de forces.

– Noyé dans du miel rose, prédit-il tristement.

Et comme si cela ne suffisait pas, il s'aperçut qu'il n'était pas seul. Quelque chose d'autre troubla le calme de la mare. Une créature tout en longueur, pareille à un serpent doté d'une grosse tête, s'agitait frénétiquement dans le liquide rose. Spic sentit le sang lui battre les oreilles. Noyé ou dévoré. Il n'avait que l'embarras du choix. Il se débattit et donna de furieux coups de pied.

Mais la bête fut trop rapide pour lui. Son corps sinuait à toute vitesse, et ses mâchoires grandes ouvertes arrivèrent par en dessous... pour l'engloutir d'un coup.

Spic monta, monta, monta, dans le sirop tout rose... puis il sortit la tête. Il râla, il toussa et aspira d'énormes goulées d'air. Alors, il s'essuya les yeux et découvrit ce qu'étaient réellement le serpent et sa tête massive : une corde et un seau de bois.

Spic dépassa les parois abruptes ;
il dépassa la troupe d'échassons
anguleux encore occupés à
extraire les dernières gouttes de
miel rose des poches maintenant dégonflées de leurs
nourriciers, et atteignit le
haut de l'immense caverne.
Le seau oscilla dangereusement. Spic s'accrocha à la
corde, osant à peine regarder en
bas, mais incapable de ne pas le
faire.

Sous lui s'étendait une mosaïque de champs roses et
bruns. Au-dessus, un trou noir ménagé dans le plafond
luisant se rapprochait à vue d'œil...

Tout à coup, sa tête s'y enfonça, et Spic se retrouva
dans la chaleur embuée d'une cuisine. L'énorme figure
boursouflée de la Grossemère se trouvait juste devant lui.

– Oh non ! gémit Spic.

La transpiration coulait sur le front et les joues
rebondies de la Grossemère qui fixait l'autre bout de la
corde. Tout son corps tremblotait à chaque mouvement,
s'étalant et fuyant comme un gros sac plein d'huile. Spic
plongea pendant qu'elle détachait le seau, puis il pria pour
qu'elle ne remarque pas le haut de son crâne à la surface
du miel.

Tout en chantant affreusement faux, la Grossemère
traîna le seau plein jusqu'à la cuisinière, le hissa jusqu'à
son épaule tremblotante et en versa le contenu dans une
marmite. Spic tomba dans la masse bouillonnante avec
un plouf englué.

– Yak ! s'exclama-t-il, son cri de dégoût aussitôt étouffé par le souffle haletant de la Grossemère qui retournait chercher du miel rose au puits. Qu'est-ce qui se passe ?

Le miel était chaud – assez chaud pour que le contenu translucide du seau devienne aussitôt opaque. Il bouillonnait et faisait des bulles tout autour du garçon, lui éclaboussant le visage. Spic savait qu'il devait sortir de là avant d'être ébouillanté. Il s'arracha à la mixture épaisse et fumante, et se hissa par-dessus le bord de la marmite pour s'écraser sur la cuisinière.

Et maintenant ? se demanda-t-il. Le sol était beaucoup trop loin pour qu'il se risque à sauter, et la Grossemère revenait déjà avec un seau plein. Il fila derrière la marmite, s'accroupit et espéra qu'elle ne le verrait pas.

Le cœur près d'éclater, Spic écouta la Grossemère chanter puis remuer le miel et le goûter.

– Miam, fit-elle en faisant claquer bruyamment ses lèvres. Mais il y a un drôle de goût, ajouta-t-elle pensivement. Un peu aigre... Oh, et puis je suis sûre que ça ira, dit-elle avec un hoquet après avoir regoûté.

Elle s'éloigna d'un pas lourd et prit deux torchons sur la table. Spic regarda désespérément autour de lui. Le miel allait être prêt et elle allait le verser dans le tube d'alimentation. « Elle va sûrement me voir ! » pensa-t-il.

Mais Spic eut de la chance. Pendant que la Grossemère mettait les torchons autour de la première marmite bouillante et l'emportait, il plongea derrière la seconde marmite. Et lorsqu'elle rapporta la marmite vide pour emporter l'autre, Spic se cacha derrière la première. La Grossemère était tellement préoccupée par le repas de ses garçons qu'elle ne remarqua rien.

Spic resta caché pendant que la Grossemère vidait avec peine la marmite énorme dans le tube d'alimentation. Après force grognements et gémissements, il entendit un cliquetis sonore et risqua un coup d'œil.

La Grossemère pompait sur un levier et faisait ainsi descendre le tube, maintenant plein de miel rose réchauffé, à travers le plancher pour atteindre la salle en dessous. Elle tira sur un autre levier, et Spic entendit le déclic, puis le gargouillis du miel vidé dans la cuve. Un rugissement de joie gloutonne monta de la grande salle.

– Et voilà, murmura la Grossemère, un sourire satisfait venant éclairer ses traits gargantuesques. Bon appétit, mes garçons. Mangez bien.

Spic gratta un peu du miel collant qui maculait sa veste et se lécha les doigts.

– Beurk ! fit-il en crachant.

Une fois bouilli, le miel prenait un sale goût. Il s'essuya la bouche du revers de la main. Il était temps pour lui de filer. S'il attendait que la Grossemère fasse la vaisselle, il se ferait sûrement attraper, et la dernière chose qu'il voulait était de retomber sur le tas de compost. Mais où était-elle donc passée ?

Spic se glissa entre les deux marmites vides et regarda autour de lui. Il ne la voyait nulle part.

Curieusement, le tumulte en provenance de la salle au-dessous ne semblait nullement se calmer. Il semblait au contraire s'amplifier et – c'est du moins ce qu'il parut à Spic – devenir plus violent.

La Grossemère avait dû elle aussi sentir que quelque chose n'allait pas. Spic l'entendit demander :

– Que se passe-t-il, mes trésors ?

Inquiet, il se retourna brusquement et scruta l'ombre derrière lui. Elle était là, sa masse monstrueuse étalée sur un fauteuil de l'autre côté de la cuisine. Elle lui tournait le dos et s'épongeait le front avec un chiffon humide. Elle paraissait inquiète.

– Que se passe-t-il ? répéta-t-elle.

Spic se moquait de ce qui se passait. C'était l'occasion de s'échapper. En nouant les deux torchons ensemble, il pourrait peut-être se glisser jusqu'au sol. Il voulut passer entre les deux marmites, mais, dans sa hâte, il poussa l'un des deux récipients et ne put que regarder, les yeux agrandis par l'horreur, la marmite tomber puis s'écraser par terre avec un grand fracas.

– Oh, par ma graisse ! piailla la Grossemère en se levant avec une rapidité étonnante.

Elle vit la marmite. Elle vit Spic.

– Aaaaah ! hurla-t-elle, ses petits yeux ronds lançant des éclairs. Encore de la vermine ! Et dans mes casseroles avec ça !

Elle saisit son balai à franges, le brandit comme une arme et s'avança vers la cuisinière. Spic restait figé sur place. La Grossemère leva le balai au-dessus de sa tête et... s'immobilisa. L'expression furieuse de son visage céda brusquement la place à de la pure terreur.

– Tu... tu n'es pas entré dans le miel, si ? demanda-t-elle. Dis-moi que tu n'y as pas été, que tu ne l'as pas altéré, contaminé... espèce de sale petite créature répugnante. Il peut arriver n'importe quoi si le miel tourne à l'aigre. N'importe quoi ! Ça fait perdre l'esprit à mes garçons. Tu n'as pas idée...

À cet instant, la porte s'ouvrit brusquement derrière elle, et un cri, « la voilà ! », retentit.

La Grossemère se retourna et dit d'une voix douce :

– Les garçons, les garçons, vous savez que la cuisine est interdite.

– Attrapez-la ! crièrent les gobelins. Elle a essayé de nous empoisonner.

– Mais bien sûr que non, pleurnicha la Grossemère en reculant devant la marée de gobelins. C'est à cause de... ça ! dit-elle en tendant un doigt bouffi en direction de Spic. Il est entré dans la marmite à miel.

Les gobelins de brassin ne voulaient rien entendre. Ils enrageaient et vociféraient : « Finissons-en avec elle ! » puis, par dizaines, ils furent sur elle. Ils la renversèrent par terre et la traînèrent sur le sol collant de la cuisine jusqu'au trou à compost.

– C'était juste une mauvaise... ouille... une mauvaise cuvée, grogna-t-elle. Je... hon... j'en préparerai une autre.

Sourds à ses excuses comme à ses promesses, les gobelins firent entrer sa tête dans le trou. Ses cris de plus en plus désespérés furent aussitôt assourdis. Les gobelins se redressèrent alors et se mirent à sauter sur la masse impressionnante de leur Grossemère pour la faire passer par l'étroite ouverture. Ils poussèrent, ils pressèrent, ils martelèrent et cognèrent jusqu'à ce que, soudain, avec un gros bruit de succion, l'énorme corps tremblotant de graisse soit englouti.

Pendant ce temps, Spic avait réussi à descendre de la cuisinière et fonçait vers la sortie. Il arrivait à la porte quand il entendit un SPLOUITCH ! colossal en provenance du trou. La Grossemère venait d'atterrir sur l'un des tas de compost de la grande caverne en dessous.

Les gobelins poussèrent des cris de joie vicieux. Ils avaient réservé à leur empoisonneuse le sort qu'elle méritait. Mais ils n'en avaient pas encore terminé. Ils passèrent leur colère sur la cuisine elle-même. Ils fracassèrent l'évier, mirent la cuisinière en pièces, arrachèrent les leviers et brisèrent le tube. Ils envoyèrent louches et marmites s'écraser sur le tas de compost et hurlèrent de rire en entendant un cri, « ouille, ma tête ! », remonter jusqu'à eux.

Mais ils n'étaient pas encore satisfaits. Poussant des exclamations de fureur, ils s'attaquèrent au puits à coups de pied et de poing et le réduisirent en miettes, ne laissant plus qu'un trou dans le sol.

– Les placards ! Les étagères ! Le fauteuil ! beuglèrent-ils.

Ils poussèrent et jetèrent tout ce qui leur tombait sous la main dans le trou qu'ils avaient pratiqué. Il ne resta bientôt plus dans la cuisine que Spic lui-même.

Un cri glaçant s'éleva alors, pareil au rugissement d'un animal blessé ivre de douleur.

– Attrapez-le ! crièrent les gobelins.

Spic fit demi-tour, franchit la porte et fonça dans le tunnel sombre.

À gauche, puis à droite, Spic courait.

Par ici, par là.

À travers le labyrinthe infini des dédales de la colonie.

La clameur des gobelins enragés s'évanouit peu à peu.

« Je les ai semés », se dit Spic avec un soupir de soulagement. Il examina le tunnel qui s'étirait devant et derrière lui et déglutit nerveusement. « Mais je me suis aussi perdu », ne put-il que constater avec accablement.

Quelques minutes plus tard, Spic arriva à un croisement. Il s'arrêta avec l'impression que son estomac se soulevait. Une douzaine de tunnels partaient du même endroit, comme les rayons d'une roue. Il s'interrogea.

Quel chemin prendre, maintenant ? Puis il gémit. Tout était allé de travers. Tout ! Non content de s'être

écarté du sentier, il avait réussi à s'écarter de la forêt !
Dire qu'il aurait voulu monter à bord d'un navire de l'air !
Il pensa amèrement qu'il n'était qu'un petit troll stupide et
raté, une erreur de la nature. Il croyait entendre les voix
de Spelda et de Tontin le gronder de nouveau. « Il ne veut
rien entendre. Il n'apprend jamais rien. »

Spic ferma les yeux. Redevenu enfant perdu, il fit ce
qu'il avait toujours fait lorsqu'une décision était trop difficile à prendre : il étendit les bras et se mit à tourner sur
lui-même.

Lequel ? Quoi ? Où ? Qui ?

Je te choisis… TOI !

Spic ouvrit les yeux et contempla le tunnel que le
hasard avait choisi pour lui.

– S'en remettre au hasard est pour les faibles et les
ignorants, fit une voix qui lui donna la chair de poule.

Il fit volte-face. Là, dans la pénombre, se tenait un
gobelin aux yeux ardents. Spic se demanda ce que signi-
fiait ce nouvel aspect des gobelins de brassin.

– Si vous tenez vraiment à sortir de la colonie, maître Spic, reprit le gobelin d'une voix radoucie, vous n'avez
qu'à me suivre.

Puis il tourna les talons et s'éloigna.

Spic déglutit nerveusement. Évidemment, qu'il voulait sortir, mais si c'était un piège ? Si on le conduisait
tout droit dans une embuscade ?

Il faisait chaud dans le tunnel, si étouffant même que
la tête lui tournait et qu'il se sentait nauséeux. Du plafond
bas et cireux tombaient des gouttes poisseuses qui s'écra-
saient sur sa tête et lui coulaient dans le cou. Son ventre
criait famine.

– Je n'ai pas le choix, murmura-t-il.

Un pan du manteau du gobelin claqua contre un coin puis disparut. Spic le suivit.

Tous deux parcoururent des tunnels, montèrent et descendirent des escaliers et traversèrent de grandes salles vides. Une odeur de pourriture et de moisi empuantissait l'atmosphère ; il devenait difficile de respirer, et Spic sentait sa tête devenir de plus en plus lourde, sa peau de plus en plus moite, sa langue de plus en plus sèche.

– Où allons-nous ? appela-t-il d'une voix faible. J'ai l'impression que tu es aussi perdu que moi.

– Faites-moi confiance, maître Spic, fut la réponse enjôleuse.

Et, alors même qu'il parlait, Spic sentit un courant d'air frais sur son visage. Il ferma les yeux pour respirer l'air pur. Quand il les rouvrit, le gobelin n'était plus en vue. L'instant d'après, après un virage, Spic vit de la lumière. La lumière du jour. Qui pénétrait à flots par la grande entrée voûtée.

Spic se mit à courir, à courir de plus en plus vite, osant à peine croire qu'il avait réussi. Au bout du dernier tunnel… de l'autre côté de l'entrée… et dehors !

– OUI ! s'exclama-t-il.

Un groupe de trois gobelins de brassin se tenait devant lui. Ils se retournèrent et le regardèrent sombrement.

– Ça va ? s'enquit joyeusement Spic.

– Est-ce que ça a l'air d'aller ? répondit l'un.

– Notre Grossemère a essayé de nous empoisonner, dit un autre.

– Alors on l'a punie, dit le troisième.

– Mais on a agi un peu vite, reprit le premier en contemplant ses pieds nus et sales d'un air sinistre.

Les autres hochèrent la tête.

– Qui va nous donner à manger maintenant ? Qui nous protégera du luminard ? dirent-ils avant de fondre tous les trois en larmes. On a besoin d'elle, gémirent-ils en chœur.

Spic regarda les trois petits personnages sales et dépenaillés, et il ricana.

– Vous avez besoin de penser par vous-mêmes, dit-il.

– Mais nous sommes fatigués et nous avons faim, pleurnichèrent les gobelins.

Spic les toisa avec colère.

– Et...

Il s'interrompit. Il s'apprêtait à leur répondre : « Et alors ? », comme les trois gobelins peu compatissants l'avaient fait auparavant. Mais il n'était pas gobelin de brassin, alors il répondit simplement :

– Eh bien, moi aussi !

Là-dessus, il tourna le dos à la colonie des gobelins, traversa le terrain découvert juste devant et retourna dans la profondeur des Grands Bois environnants.

CHAPITRE 8

L'ours bandar

S PIC DÉFIT LES BOUTONS DE SON GILET DE HAMMEL TOUT
en marchant. Le vent avait changé de direction et
il y avait quelque chose d'automnal dans l'air. Le
temps était décidément aussi imprévisible que tout le
reste dans ces Grands Bois mystérieux.

Tout autour de lui, une récente couche de neige qui
fondait rapidement des feuillages faisait pleuvoir mille
gouttes. Toujours en nage, Spic s'arrêta, ferma les yeux et
leva la tête. Des gouttes d'eau glacée s'écrasèrent sur son
visage. C'était frais et revigorant.

Soudain, Spic fut frappé à la tête par quelque chose
de gros et de lourd – POUF –, avec une telle violence qu'il
en tomba par terre. Il resta un instant immobile, n'osant
ouvrir les yeux. Qu'est-ce qui l'avait heurté ? Le luminard ? Cette créature terrifiante existait-elle réellement ?
Si tel était le cas, alors il était inutile de se cacher. Spic
ouvrit les yeux, se releva d'un bond et prit son couteau.

– Où es-tu ? cria-t-il. Montre-toi !

Rien n'apparut. Rien du tout. Et le seul bruit distinct
était le ploc ploc ploc régulier des gouttes tombant des
arbres. Brusquement, un deuxième POUF se fit entendre.

Spic se retourna. Un énorme bloc de neige, sans doute tombé des branches, venait d'aplatir un buisson de peignée.

Spic leva la main. Il avait bien de la neige sur la tête. En fait, il y avait de la neige partout. Il éclata de rire.

– De la neige, dit-il à voix haute. Ce n'est que de la neige.

Les gouttes d'eau s'intensifièrent à mesure que Spic poursuivait son chemin. C'était comme une grosse pluie qui lui tombait dessus. Il fut bientôt complètement trempé. Plus il s'enfonçait dans les Grands Bois, plus le sol devenait spongieux sous ses pieds. Chaque pas exigeait toujours plus d'effort, d'autant plus que Spic avait affreusement faim.

– Chez les égorgeurs, marmonna-t-il, c'est le dernier vrai repas que j'ai fait. Et seul le ciel sait combien de temps s'est écoulé depuis.

Spic leva les yeux. Le soleil brillait, et même dans ces sous-bois mouchetés d'ombres, il pouvait en sentir la chaleur bienfaisante. De fragiles tourbillons de brume montaient du sol détrempé. Et à mesure que la peau de hammel à cornes séchait, Spic fut lui-même enveloppé de vapeur.

Il lui devenait impossible d'ignorer sa faim. Elle lui tordait et lui rongeait l'estomac. Elle grondait avec impatience.

– Je sais, fit Spic. Dès que je trouve quelque chose, je te promets que c'est pour toi. Le problème, c'est de trouver quoi.

Il finit par arriver à un arbre chargé de fruits d'un violet sombre. Certains des fruits, charnus et gonflés, étaient tellement mûrs que la peau avait éclaté, laissant couler un jus doré. Spic s'en lécha les babines. Le fruit paraissait si délicieusement sucré, si merveilleusement parfumé. Il leva la main et en cueillit un.

Le fruit était doux au toucher et se sépara de sa tige avec un petit bruit mouillé. Spic le tourna et le retourna dans sa main. Il le frotta sur son gilet à poil puis, lente-ment, il le porta à sa bouche et…

– Non ! s'écria-t-il en jetant le fruit au loin. Je n'ose pas.

Son ventre fit des gargouillis coléreux.

– Tu attendras, coupa Spic avant de reprendre sombrement sa marche en se reprochant d'avoir ne fût-ce qu'envisagé de manger un fruit inconnu.

En effet, même si nom-bre de baies et de fruits des Grands Bois étaient sucrés et nourrissants, il y en avait plus encore de mortels.

Une seule goutte du jus de la pomme-en-cœur, par exemple, suffisait à vous tuer sur place. Et la mort n'était pas le seul danger possi-ble. Il y avait des fruits suscepti-bles de vous aveugler, d'autres qui explosaient à l'intérieur de votre corps, d'autres encore qui vous laissaient paralysé. Il y avait des baies, les grattouilles, qui provoquaient une éruption de verrues bleuâtres impossibles à éliminer. Et puis il y avait les pépines qui faisaient rétrécir tous ceux qui en mangeaient – plus on en mangeait, plus on rétrécissait. Les malheureux qui en avaient trop mangé avaient disparu complètement.

– C'est beaucoup trop dangereux, se répéta Spic. Il faut juste que je tienne jusqu'à ce que je trouve un arbre que je connais.

Mais Spic avait beau s'enfoncer toujours plus loin dans les Grands Bois, il ne reconnaissait aucune des innombrables espèces qu'il croisait.

– Voilà ce que c'est que d'avoir grandi parmi les trolls des bois, soupira-t-il avec lassitude.

Comme ils ne s'écartaient jamais des sentiers battus, les trolls des bois laissaient à d'autres le soin de les approvisionner en fruits des Grands Bois. Ils faisaient du troc, pas de la cueillette, et Spic le regrettait à présent amèrement.

S'efforçant de rester sourd aux protestations de son estomac, Spic avançait d'un pas lourd. Tout son corps lui paraissait pesant, mais il avait la tête curieusement légère. Des senteurs d'arbres fruitiers lui mettaient l'eau à la bouche tandis que leurs fruits luisaient d'un éclat tentateur. Car la faim est une créature étonnante. Elle obscurcit le cerveau tout en donnant de l'acuité aux sens. Dès qu'une petite branche craquait, loin devant lui, Spic l'entendait comme si elle se brisait juste à côté.

Il s'immobilisa et regarda devant lui. Il y avait là quelqu'un, ou quelque chose. Spic s'avança, prenant garde de ne rien faire craquer en marchant. Il se rapprocha, quittant un tronc d'arbre pour se cacher derrière un autre, jusqu'au moment où il entendit quelque chose gémir tout près. Il se tapit alors hors de vue, le cœur emballé, se pencha lentement pour jeter un coup d'œil… et se retrouva face à face avec une gigantesque bête couverte de poils.

Elle frottait doucement un côté de sa tête velue avec une grosse patte griffue. Lorsque leurs regards se croisèrent, la créature rejeta la tête en arrière, découvrit ses crocs et hurla vers le ciel.

– Aaaargh ! cria Spic, qui battit précipitamment en retraite derrière son arbre.

Tremblant de peur, il perçut des bruits de branches brisées indiquant que la bête s'éloignait dans les sousbois. Tout à coup, le bruit s'interrompit pour céder

la place à un hurlement plaintif. L'instant d'après, venu de très loin, un autre hurlement plaintif lui répondit.

– Des ours bandars ! s'exclama Spic.

Il en avait assez souvent entendu, mais c'était la première fois qu'il en voyait un en chair et en os. C'était encore plus grand qu'il ne l'avait imaginé.

Quoique incroyablement grand et fort, l'ours bandar est une créature timide. On prétend que ses grands yeux mornes voient le monde plus grand qu'il n'est vraiment.

Spic coula un regard derrière l'arbre. L'ours bandar était parti. Une piste de végétation écrasée s'enfonçait dans la forêt.

– Voilà un sentier que je ne suivrai pas, dit Spic. Je...

Il se figea sur place. L'ours bandar n'était pas parti. Il se tenait là, à moins de dix pas. Sa pâle fourrure verte faisait un camouflage parfait. Il poussa un léger grognement en portant la patte à sa joue :

– Ouaouh ! Ouaouou-ouh ?

L'animal était vraiment puissant. Au moins deux fois plus grand que Spic lui-même, et bâti comme une grosse pyramide. Il avait des pattes postérieures pareilles à des troncs, et des pattes antérieures si longues que ses phalanges touchaient le sol. Les quatre griffes qui terminaient chaque membre étaient aussi longues que les avant-bras de Spic, de même que les deux défenses qui jaillissaient de sa mâchoire inférieure proéminente. Seules ses oreilles, en forme de petites ailes délicates qui battaient en permanence, ne donnaient pas l'impression d'avoir été taillées dans le roc.

L'ours bandar contemplait Spic d'un œil triste.

– Ouaououou ? gémit-il encore.

Il avait mal, c'était évident. Malgré sa taille, il paraissait curieusement vulnérable. Spic comprit que l'animal devait avoir besoin de son aide. Il avança d'un pas. L'ours bandar fit de même. Spic sourit.

– Qu'est-ce qui ne va pas ? s'enquit-il.

L'ours bandar ouvrit grand la bouche et montra maladroitement à l'intérieur du bout d'une griffe.

– Fais-moi voir, dit Spic en avalant nerveusement sa salive.

L'ours bandar se rapprocha. Il se déplaçait en prenant appui sur ses deux pattes de devant pour projeter en avant celles de derrière. Lorsqu'il fut assez près, Spic fut surpris de découvrir que de la mousse gris-vert poussait sur son poil, lui donnant son aspect verdâtre.

– Wouh, grogna l'ours en s'immobilisant devant le garçon.

Il ouvrit la bouche, et Spic fut happé par une bouffée d'haleine putride. Il cligna des yeux et se détourna. L'ours bandar poussa un grognement d'impatience.

Spic leva les yeux.

– Je… tu es trop haut, expliqua-t-il. Même si je me mets sur la pointe des pieds. Il faudrait que tu t'allonges, ajouta-t-il en montrant le sol.

L'ours bandar hocha sa tête énorme et s'allongea aux pieds de Spic. Celui-ci plongea alors le regard dans celui de l'animal, et décela dans ses profondeurs vert sombre quelque chose d'incertain. De la peur, assurément.

– Ouvre grand, fit doucement Spic, avant d'ouvrir lui-même la bouche pour lui montrer.

L'ours bandar l'imita et Spic put examiner la bouche caverneuse de l'animal, ses rangées de crocs sauvages et jusqu'au tunnel insondable de sa gorge. C'est alors qu'il la vit, au fond, à gauche : une dent tellement cariée qu'elle était passée du jaune au noir.

– Par le ciel sur nos têtes ! s'écria Spic. Pas étonnant que ça te fasse mal.

– Ouuaouuuu, ouaou, ouuaouuu, grogna l'ours bandar en faisant mine de tirer à plusieurs reprises sa main de sa gueule.

– Tu veux que je l'arrache ? demanda Spic.

L'ours bandar hocha la tête, et une grosse larme coula du coin de chaque œil.

– Courage ! murmura le garçon. Je vais essayer de ne pas te faire trop mal.

Il s'agenouilla, remonta ses manches et examina de plus près l'intérieur de la gueule de l'ours. La dent, quoique petite par rapport aux deux énormes défenses à côté, avait tout de même la taille d'un petit pot de moutarde. La gencive tout autour était si rouge et enflée

qu'elle semblait près d'éclater. Spic saisit précautionneusement la dent gâtée.

L'ours bandar eut un mouvement de recul et détourna brusquement la tête. Une défense acérée égratigna au passage le bras de Spic, faisant couler le sang.

– Aïe ! Ne fais pas ça ! gronda Spic. Si tu veux que je t'aide, tu dois rester parfaitement immobile. C'est compris ?

– Ouaou-ouaou ! marmonna l'ours bandar.

Spic fit une nouvelle tentative. Cette fois, ses énormes yeux eurent beau se plisser de douleur, l'animal ne bougea pas quand Spic lui saisit la dent.

« Tire et tourne », se dit Spic, concentré, en resserrant sa prise.

– Un, deux, trois, PARTEZ ! cria-t-il.

Il tira en tournant. Il tira même si fort qu'il culbuta en arrière, dégageant la dent dans un même mouvement. Elle vibra et grinça tandis que la racine s'extrayait de la gencive. Le sang et l'humeur jaillirent. Spic s'écrasa par terre, la dent à la main.

L'ours bandar se releva d'un bond, ses yeux lançant des éclairs. Il découvrit les dents, se frappa la poitrine, déchira le silence des Grands Bois avec un rugissement assourdissant. Puis, submergé par une rage formidable, il s'attaqua furieusement à la forêt environnante, déracinant des buissons et renversant des arbres.

Spic le regardait faire avec horreur. La douleur avait dû plonger le malheureux dans la folie. Il se leva et essaya de s'esquiver avant que la bête ne puisse s'en prendre à lui.

Mais il était déjà trop tard. L'ours bandar l'avait vu du coin de l'œil et se retournait déjà. Il jeta au loin un arbrisseau déraciné, poussa un grand « Ouaou ! » et, tout en yeux furieux et dents étincelantes, bondit vers le garçon.

– Non, souffla Spic, terrifié à la pensée qu'on allait lui arracher bras et jambes.

L'instant d'après, il sentit les bras puissants de l'animal l'envelopper et respira l'odeur moisie de sa fourrure couverte de mousse pendant que celui-ci le pressait contre son ventre.

Ils restèrent ainsi un moment : le garçon et l'ours bandar, chaleureusement enlacés dans la lumière mouchetée de cet après-midi dans les Grands Bois.

– Ouaou-ouaou, fit enfin l'ours bandar en desserrant son étreinte.

Il montra l'intérieur de sa gueule en se grattant pensivement la tête.

– Ta dent ? demanda Spic. Je l'ai ici, ajouta-t-il en la tendant à l'ours dans sa paume ouverte.

Avec une délicatesse surprenante de la part d'un être aussi immense, l'ours bandar prit la dent et la frotta contre ses poils. Puis il la porta à la lumière pour que Spic puisse voir le trou qui la perçait de part en part.

– Ouaou, dit-il en touchant les amulettes autour du cou de Spic avant de lui rendre la dent.

– Tu veux que je la porte autour du cou ? fit Spic.

– Ouaou, répondit l'ours bandar. Ouaou-ouaou.

– Comme porte-bonheur, dit Spic.

L'ours bandar fit oui de la tête. Et dès que Spic eut glissé la dent sur le lien, avec les amulettes de Spelda, l'ours fit un nouveau signe de tête, visiblement satisfait. Spic sourit.

– Ça va mieux maintenant ? demanda-t-il.

L'ours bandar acquiesça solennellement. Puis il se toucha la poitrine et tendit le bras vers son sauveur.

– Si tu peux faire quelque chose pour moi ? traduisit Spic. Tu parles ! Je meurs de faim, ajouta-t-il. À manger, à manger, répéta-t-il en se frottant l'estomac.

L'ours eut l'air interloqué. Il poussa un grognement et embrassa le paysage d'un grand geste de la patte.

– Mais je ne sais pas ce qu'on peut manger sans crainte, expliqua Spic. C'est bon ? C'est mauvais ? questionna-t-il en désignant différents fruits.

L'ours lui fit signe de le suivre et le conduisit à un grand arbre en forme de cloche, couvert de feuilles vert pâle et de fruits rouge vif, si mûrs qu'ils éclataient. Spic se lécha avidement les babines. L'ours bandar tendit la patte, cueillit un fruit dans ses griffes et le tendit à Spic.

– Ouaou, fit-il avec insistance, se tapotant le ventre.

Le fruit était comestible. Spic pouvait manger.

Le garçon prit le fruit et mordit dedans. C'était bien plus que comestible. C'était succulent. Sucré, parfumé, avec un petit côté épicé. Lorsqu'il l'eut mangé en entier, Spic se retourna vers l'ours et montra de nouveau son estomac.

– Encore, dit-il.

– Ouaou, fit l'ours bandar avec un sourire.

Ils formaient un curieux couple – la montagne couverte de poils et le garçon maigrichon – et il arrivait à Spic de se demander pourquoi l'ours bandar restait avec lui. Il était si grand et si fort et connaissait si bien tous les secrets des Grands Bois qu'il n'avait certainement pas besoin de Spic.

Mais peut-être que lui aussi se sentait seul, peut-être qu'il lui était reconnaissant de lui avoir arraché cette dent douloureuse. Ou peut-être simplement que l'ours bandar l'aimait bien. Spic l'espérait. En tout cas, lui aimait beaucoup l'ours – il l'aimait plus qu'il n'avait jamais aimé personne. Plus que Grisel, plus qu'Étoupe. Plus même que Grognasson, au temps où ils avaient été amis. Comme sa vie avec les trolls des bois lui paraissait lointaine aujourd'hui !

Spic se dit qu'à l'heure qu'il était, le cousin Futaille avait dû prévenir qu'il n'était jamais arrivé. Que devait penser sa famille ? Il savait par avance ce que serait la réponse bourrue de Tontin : « Il a quitté le chemin. Je le savais. Il n'a jamais été un troll des bois. Sa mère lui a toujours tout passé. »

Spic poussa un soupir. Pauvre Spelda. Il revoyait son visage trempé de larmes. « Je lui avais dit, pleurerait-elle. Je lui avais dit de ne pas s'écarter du sentier. Nous l'aimions comme l'un des nôtres. »

Mais Spic n'était pas vraiment l'un des leurs. Il ne faisait partie ni des trolls des bois ni des égorgeurs, et certainement pas de la ruche collante de la colonie des gobelins de brassin.

Peut-être était-il plus à sa place ici, avec le vieil ours bandar solitaire, dans les Grands Bois infinis, à errer de repas en repas, à dormir dans des cachettes douillettes et sûres, connues des seuls ours bandars. Toujours en route, jamais très longtemps au même endroit et sans jamais suivre les sentiers battus.

Parfois, quand la lune se levait au-dessus des pins ferreux, l'ours bandar s'immobilisait et humait l'air, les petites oreilles frémissantes et les yeux mi-clos. Puis il prenait une profonde inspiration et lançait un cri modulé et désolé dans la nuit.

De très loin parvenait alors une réponse : un autre ours bandar solitaire lui répondait à travers l'immensité des Grands Bois. Peut-être un jour tomberaient-ils l'un sur l'autre. Peut-être pas. C'était cette tristesse qui emplissait leur chant. C'était cette tristesse que Spic comprenait.

– Ours bandar ? demanda-t-il par un après-midi étouffant.

– Ouaou ? fit l'ours, et Spic sentit une patte géante, puissante et douce à la fois, se poser sur son épaule.

– Pourquoi ne rencontrons-nous jamais les ours bandars que tu appelles la nuit ?

L'ours haussa les épaules. C'était tout simplement comme ça. Il leva la patte pour cueillir un fruit en forme d'étoile verte. Il le tâta, le renifla… et poussa un grognement.

– C'est pas bon ? questionna Spic.

L'ours bandar fit non de la tête, ouvrit le fruit d'un coup de griffe et le laissa tomber. Spic regarda autour de lui.

– Et ceux-là ? demanda-t-il en désignant un petit fruit jaune et rond accroché bien au-dessus de sa tête.

L'ours bandar s'étira pour en cueillir une grappe, puis sans cesser de les sentir, retourna les fruits dans ses pattes énormes. Il en retira un grain, ouvrit la peau d'un coup de griffe et le renifla encore. Enfin, il toucha la goutte de sirop qui perlait avec sa grosse langue noire et fit claquer ses lèvres.

– Ouaou, finit-il par dire en donnant le tout à Spic.

– Délicieux, commenta Spic.

Quelle chance il avait d'avoir l'ours bandar pour lui montrer quels fruits il pouvait et ne pouvait pas manger ! Il se désigna puis désigna l'ours et déclara :

– Amis.

– Ouaou, dit l'ours en se montrant, puis en montrant Spic.

Celui-ci sourit. Très loin au-dessus de lui mais bas dans le ciel, le soleil se couchait, faisant passer la lumière jaune citron de la forêt à une chaude lumière dorée qui coulait entre les feuilles comme un sirop tiède et sucré. Spic bâilla.

– Je suis fatigué, dit-il.

– Ouaou ? fit l'ours bandar.

Spic joignit les mains et posa sa joue dessus.

– Dormir, dit-il.

L'ours hocha la tête et fit ses vocalises.

Ils se remirent en route et Spic sourit. Au début de leur amitié, les ronflements de l'ours l'avaient empêché de dormir. Maintenant, il aurait eu du mal à s'endormir sans ce grondement réconfortant à côté de lui.

Ils continuaient à marcher, Spic suivant le sentier que l'ours bandar traçait dans la végétation touffue. Passant devant un buisson bleu vert épineux, Spic cueillit machinalement quelques baies d'un blanc brillant qui poussaient à la base de chaque piquant. Il en fourra une dans sa bouche.

– Est-ce qu'on arrive bientôt ? demanda-t-il.

L'ours bandar se retourna. Soudain, ses yeux se rétrécirent et ses oreilles souples se mirent à battre.

– OUAOUUUU ! rugit-il en sautant sur le garçon.

Que se passait-il ? L'ours avait-il une nouvelle crise de folie ?

Spic tourna les talons et chercha à échapper à l'énorme bête qui s'en prenait à lui. Elle pouvait l'écraser sans même le vouloir. L'ours bandar manqua le garçon, aplatissant la végétation sous lui.

– OUAOU ! rugit-il de nouveau en se jetant sauvagement sur Spic.

Le choc atteignit Spic au bras et l'envoya tournoyer. Sa main s'ouvrit et les baies d'un blanc brillant tombèrent dans les herbes. Spic atterrit par terre avec un bruit mat. Il leva les yeux. L'ours bandar se dressait devant lui, menaçant. Spic poussa un hurlement, et la baie qui se trouvait dans sa bouche se coinça au fond de sa gorge.

Spic toussa et crachota, mais la baie ne voulait toujours pas bouger. Sa figure passa du rouge au violacé alors qu'il cherchait l'air. Il se releva en chancelant et adressa un regard suppliant à son ami. Tout dansait devant ses yeux.

– Peux pas resp… grogna-t-il en se tenant la gorge.

– Ouaou ! fit l'ours, qui saisit aussitôt le garçon par les chevilles.

Spic se sentit hissé dans les airs, tête en bas. L'ours se mit à lui taper vigoureusement dans le dos. Mais il avait beau frapper comme une brute, le petit fruit rond restait impossible à déloger. Il frappa, frappa encore et…

POP !

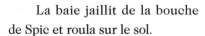

La baie jaillit de la bouche de Spic et roula sur le sol.

Toujours maintenu par la poigne de l'ours, Spic hoqueta et engouffra des goulées d'air frais. Complètement hors d'haleine, il se tortilla et se débattit en vain pour se redresser.

– Pose-moi, fit-il enfin d'une voix rauque.

L'ours passa alors son bras libre sous son torse et le posa doucement sur une pile de feuilles mortes. Puis il s'accroupit et approcha son visage tout près de celui du garçon.

– Ouaou-ouaou ? fit-il.

Spic examina le visage inquiet de son ami. Celui-ci avait les yeux plus écarquillés que d'habitude. Il fronça les sourcils d'un air interrogateur. Spic sourit et passa ses bras autour de son cou.

– Ouaou ! déclara l'ours.

Puis il s'écarta et regarda Spic dans les yeux. Il se tourna et montra la baie qui avait été si près d'étouffer le garçon.

– Ouaou-ouaou, fit-il sur un ton coléreux, en se tenant le ventre, puis en roulant sur le dos en feignant l'agonie.

Spic hocha gravement la tête. La baie était donc empoisonnée.

– Pas bon, dit-il.

– Ouaou, rétorqua l'ours bandar en se relevant. Ouaou-ouaou-ouaou ! cria-t-il en sautant et sautant encore.

Et plus il sautait pour écrabouiller la baie empoisonnée, plus il détruisait la végétation alentour et faisait voler des nuages de poussière. Spic en pleurait de rire.

– J'ai compris, assura-t-il. Je te le promets.

L'ours s'approcha et tapota doucement la tête de Spic.

– Oua... oua... ouami, dit-il avec difficulté.

– C'est ça, s'exclama Spic en souriant. Amis, dit-il, puis, se désignant : Spic. Dis Spic.

– Sp-aou-ic, fit l'ours bandar, rayonnant de fierté. Sp-aou-ic ! Sp-aou-ic ! répéta-t-il inlassablement.

Puis il se pencha, prit le garçon dans ses bras et le jucha sur son dos. Et ensemble, ils s'enfoncèrent dans les bois de plus en plus sombres.

Il ne fallut guère longtemps pour que Spic se mette à explorer lui-même les lieux. Il n'était pas aussi habile que l'ours bandar avec ses griffes énormes et son flair infaillible, mais il apprenait vite, et les Grands Bois devinrent peu à peu nettement moins effrayants. Néanmoins, au cœur de la nuit noire, il était bien content d'avoir la grosse masse de son ami à côté de lui, et ses ronflements sonores pour le bercer.

Spic pensait de moins en moins à sa famille de trolls des bois. Il ne les avait pas vraiment oubliés, mais il ne se sentait pas le besoin de penser à grand-chose. Manger, dormir, manger encore...

De temps à autre cependant, Spic était tiré de son rêve éveillé, une fois par un navire du ciel aperçu dans le lointain, d'autres fois par l'image fugitive de l'oisoveille dans la ramure mouchetée d'un arbre aux berceuses.

Mais la vie reprenait son cours. Ils mangeaient, dormaient et chantaient au clair de lune. Jusqu'à ce jour funeste.

C'était une fraîche soirée d'automne et Spic chevauchait une fois de plus le dos de l'ours bandar. Ils cherchaient un endroit où dormir, quand soudain, du coin de l'œil, Spic aperçut un éclair orangé. Il regarda autour de lui et vit, derrière eux, une petite créature velue semblable à une boule de poils orange.

Un peu plus loin, Spic regarda de nouveau en arrière. Les petites bêtes étaient à présent au nombre de quatre et gambadaient comme des petits de hammels à cornes.

– Ils sont mignons, dit-il.

– Ouaou ? demanda l'ours bandar.

– Derrière nous, indiqua Spic en tapotant l'épaule de l'ours pour lui montrer.

Ils se retournèrent. Il y avait à présent une douzaine de ces curieux animaux qui les suivaient en bondissant. Dès qu'il les aperçut, l'ours bandar se mit à faire pivoter ses oreilles à toute vitesse en émettant une sorte de plainte douce mais très aiguë.

– Qu'est-ce qui se passe ? fit Spic, moqueur. Tu ne vas pas me dire que tu as peur de ça ?

L'ours bandar se contenta de gémir plus fort et se mit à trembler de l'extrémité des oreilles au bout des pattes. Spic n'eut plus qu'à s'accrocher.

– Tignasses ! hurla l'ours bandar.

Pendant que Spic les observait, les créatures à poil orange doublèrent en nombre, puis doublèrent encore. Elles trottinaient de-ci de-là, dans le crépuscule, mais sans jamais se rapprocher. L'ours bandar s'agitait de plus en plus, passant nerveusement d'une patte à l'autre sans cesser de gémir.

Soudain, il en eut assez et cria :

– Ouaou-ouaou !

Spic s'accrocha aux longs poils de son ami qui partit comme une flèche. L'ours fonçait aveuglément dans la forêt. Badaboum, badaboum, badaboum. Spic avait toutes les peines du monde à ne pas tomber. Il regarda en arrière. Aucun doute, les boules de poils orange les avaient pris en chasse.

Spic sentit les battements de son cœur s'accélérer. En petit nombre, les bestioles avaient paru mignonnes,

mais en troupeau, elles présentaient un aspect curieusement menaçant.

L'ours bandar courait toujours plus vite. Il écrasait
tout sur son passage, filant droit devant lui. Spic dut à plusieurs reprises s'aplatir derrière son énorme tête pour ne
pas prendre une branche ou un buisson de plein fouet.
Les tignasses n'avaient qu'à suivre le sentier ouvert par
l'ours… et il ne fallut pas longtemps pour que les premières les rattrapent.

Spic les regardait avec inquiétude. Quatre ou cinq
bestioles se précipitaient à présent sur les pattes de l'ours
dès qu'elles touchaient le sol. Brusquement, l'une des
tignasses s'y accrocha.

– Par le ciel ! s'écria Spic en voyant la boule de poils
s'ouvrir en deux pour montrer deux rangées de dents
terribles qui évoquaient un piège à loup.

Aussitôt, les mâchoires se refermèrent sur la patte
de l'ours.

– Ouaouuuuuuu ! hurla le malheureux.

Spic toujours désespérément accroché
à son dos, l'ours se baissa pour arracher la tignasse et la jeter au loin.
La féroce petite bête alla
dinguer, sitôt remplacée par
quatre autres.

– Piétine-les ! Écrase-les !
hurla Spic.

Mais c'était sans espoir. L'ours bandar pouvait en faire voler autant qu'il
voulait dans les airs, elles étaient aussitôt remplacées par des dizaines d'autres.
Elles s'accrochaient à ses pattes posté-

rieures, à ses pattes antérieures ; elles remontaient vers son cou, vers Spic.

– Au secours ! cria celui-ci.

L'ours bandar se redressa brusquement et s'approcha en titubant d'un grand arbre. Spic sentit ses énormes pattes le prendre par la taille et le soulever de ses épaules pour le hisser sur une haute branche, hors d'atteinte des tignasses assoiffées de sang.

– Sp-aou-ic. Oua-mi, articula-t-il.

– Monte, toi aussi, insista Spic.

Mais à peine eut-il plongé son regard dans les yeux tristes de son ami qu'il sut que ce ne serait pas possible.

Les tignasses mordirent tant qu'elles purent les pattes postérieures de l'ours bandar, jusqu'au moment où il s'abattit sur le sol avec une longue plainte. Son corps immense disparut aussitôt sous une multitude de créatures vicieuses.

Les yeux de Spic s'emplirent de larmes. Incapable de regarder, il se détourna. Il pressa les mains contre ses oreilles, mais ne put étouffer complètement les cris de l'ours qui luttait encore.

Puis le silence tomba sur les Grands Bois. Spic sut que c'était terminé.

– Oh ! ours bandar, sanglota-t-il. Pourquoi ? Pourquoi ? Pourquoi ?

Il avait envie de sauter, couteau en main, et de tuer toutes ces tignasses une par une. Il aurait voulu venger la mort de son ami. Mais il se savait absolument impuissant.

Spic s'essuya les yeux et regarda en bas. Les tignasses étaient parties. Il ne restait pas non plus la moindre trace de l'ours bandar, pas un os, ni une dent ni même une griffe, pas un seul fragment de fourrure ni de mousse.

Il entendit dans le lointain l'appel désolé et modulé d'un autre ours bandar. Son cri à fendre l'âme résonna long-temps encore parmi les arbres.

Spic serra fort dans sa main la dent qu'il portait autour du cou et renifla.

– Il ne peut pas te répondre, maintenant, chuchota-t-il à travers ses larmes. Ni plus jamais.

CHAPITRE 9

Le pourrivore

PIC SCRUTA LA PÉNOMBRE SOUS LUI. IL N'Y AVAIT PLUS trace des tignasses. Elles avaient organisé leur attaque mortelle en silence, sans parler ni piailler de toute l'opération. Les seuls bruits perceptibles avaient été les os qu'elles brisaient et le sang qu'elles aspiraient. Et puis les petites bêtes diaboliques s'étaient esquivées discrètement. Elles n'étaient plus là.

Ou du moins Spic l'espérait-il. Il renifla et se moucha sur sa manche. Il n'avait pas droit à l'erreur.

Au-dessus de lui, le ciel passait du brun au noir. Puis la lune se leva, basse et lumineuse. Le calme du crépuscule avait déjà été brisé par les premiers mouvements des créatures nocturnes, mais Spic, incapable de bouger, continuait de fixer l'obscurité tandis que les bruits de la nuit s'intensifiaient. Hululements, gémissements, crissements, frottements... l'ombre grouillait de créatures invisibles, mais non moins perceptibles pour autant. Dans l'obscurité, on voyait avec les oreilles.

Sous les jambes pendantes de Spic, le sous-bois fumait. Une brume légère s'enroulait autour des arbres.

Les Grands Bois paraissaient mijoter ; dans le danger, dans le mal.

— Je vais rester là-haut, chuchota Spic en se mettant debout. Jusqu'à demain matin.

Les bras tendus pour garder l'équilibre, Spic quitta l'extrémité de la branche et gagna le tronc de l'arbre. Là, il se mit à grimper. Plus haut, toujours plus haut, en quête d'un coin qui pourrait à la fois supporter son poids et ne pas être trop inconfortable pour la longue nuit qui l'attendait.

À mesure que le feuillage devenait plus dense autour de lui, Spic sentit ses yeux larmoyer et le piquer. Il cueillit une feuille et l'examina attentivement. Elle était pointue et luisait d'un pâle éclat turquoise.

– Ô ours bandar ! soupira Spic. De tous les arbres possibles, pourquoi a-t-il fallu que tu choisisses un arbre aux berceuses ?

Il était inutile de monter plus haut. Les branches supérieures de l'arbre aux berceuses étaient connues pour être cassantes. Et puis il faisait froid là-haut. Un vent mordant lui hérissa les bras et les jambes, aussi Spic passa-t-il de l'autre côté du tronc pour commencer à redescendre.

Brusquement, la lune disparut. Spic s'arrêta. Mais la lune ne voulait pas reparaître et le vent lui pinçait les doigts. Lentement, très lentement, guidé par l'écorce rugueuse sous ses pieds, Spic reprit précautionneusement sa descente. Avec ou sans tignasses, il était promis à une mort certaine s'il s'écrasait en bas.

S'agrippant à la branche située près de sa tête, le pied gauche appuyé contre un nœud dans le tronc, Spic se laissa lentement descendre. Des gouttes de sueur glacée apparurent sur son front tandis que son pied droit cherchait à tâtons un appui.

Il s'étirait de plus en plus loin. Ses bras lui faisaient mal. Sa jambe gauche lui donnait l'impression qu'elle allait se déboîter. Spic était sur le point de renoncer quand, tout à coup, le bout de son gros orteil trouva ce qu'il cherchait : la branche du dessous.

– Enfin, murmura le garçon.

Il relâcha les coudes, desserra ses orteils crispés sur le nœud du bois et se laissa tomber jusqu'à ce que ses deux pieds prennent appui sur la branche. Ses orteils s'enfoncèrent alors dans quelque chose de mou et duveteux.

– Non ! hoqueta-t-il en se repliant avec horreur.

Il y avait quelque chose sur la branche. Un animal, certainement. Peut-être les tignasses pouvaient-elles tout de même grimper aux arbres.

Spic se mit à donner des coups de pied en tous sens et fit tout ce qu'il put pour retrouver la sécurité de la branche au-dessus de sa tête. Mais c'était peine perdue. Il était épuisé. Il essaya de se hisser à la force des bras, mais se sentit trop faible. Ses mains commençaient à lâcher prise.

Soudain, la lune perça les nuages et la voûte du feuillage. Elle darda ses rayons argentés entre les feuilles balayées par le vent. On aurait dit que des cerfs-volants lumineux jouaient sur le tronc de l'arbre, sur le corps suspendu de Spic et, tout en bas, sur le sol même de la forêt.

Spic avait son menton aigu qui lui rentrait dans la poitrine tant il forçait pour regarder sous lui. Ses yeux confirmèrent ce que son pied avait senti. Il y avait bien quelque chose – deux quelque chose en fait – sur l'écorce rugueuse. Cela s'accrochait à la branche comme les pattes velues d'une grosse bête qui chercherait à grimper pour l'attraper.

Avec précaution, Spic baissa les jambes pour tâter les choses du bout du pied. Elles étaient froides. Elles ne bougeaient pas.

Il se laissa tomber sur la grosse branche et s'accroupit vivement. Vues de près, les deux choses n'étaient pas poilues du tout. On aurait plutôt dit deux pelotes de fil enroulées autour de la branche. Spic regarda en dessous. Son corps frémit d'excitation.

Là, suspendu au bout d'une corde de soie, il y avait un cocon. Spic en avait déjà vu, bien sûr. Étoupe dormait dans l'un d'eux et il avait vu l'oisoveille éclore dans la forêt

152

d'arbres aux berceuses. Mais il n'en avait jamais été aussi près. La longue chose pendante était plus grande, et beaucoup plus belle qu'il ne l'avait imaginé.

– Stupéfiant, murmura-t-il.

Tissé en fil d'une extrême finesse, le cocon semblait en sucre filé. Il était large et renflé, semblable à une poire des bois géante qui, se balançant au gré du vent, brillait au clair de lune.

Spic se baissa pour attraper la corde de soie, sous la branche. Puis, prenant garde de ne pas tomber malgré son impatience, il se laissa glisser par-dessus la branche et descendit comme à la corde lisse jusqu'au cocon lui-même, sur lequel il s'assit.

Spic n'avait jamais rien touché de pareil : très doux, incroyablement doux, mais assez ferme pour conserver sa forme. Et, dès qu'il enfonça ses doigts dans le rembourrage épais et soyeux, un parfum sucré et épicé lui monta aux narines.

Un brusque coup de vent fit voler le cocon en tous sens. Au-dessus de Spic, les petites branches cassantes craquèrent et sifflèrent. Il poussa un petit cri et se raccrocha à la corde. Étourdi, il regarda le sol moucheté si loin au-dessous de lui. Il y avait quelque chose en bas, qui grattait les feuilles mortes à grand bruit. Spic ne pouvait plus ni descendre ni monter.

– Mais je n'en ai pas besoin, se dit-il. Je n'ai qu'à passer la nuit dans le cocon de l'oisoveille.

Il venait à peine de prononcer ces mots que son corps se mit à frissonner. Il se rappela les paroles de l'oisoveille : « Étoupe dort dans nos cocons et connaît nos rêves. » « Peut-être, songea-t-il avec excitation, que moi aussi, je pourrais partager leurs rêves. »

Une fois décidé, Spic se laissa glisser le long de la paroi du cocon. Alors que son nez frottait contre la matière souple, le parfum doux et épicé s'intensifia et le cocon de soie lui caressa la joue. Son pied finit par trouver appui sur le bord inférieur, là où l'oisoveille avait ménagé une ouverture.

– Prêt, paré... c'est parti ! s'exclama Spic.

Il lâcha la corde et se laissa tomber à l'intérieur du cocon. Celui-ci s'agita furieusement un instant. Spic ferma les yeux, terrifié à l'idée que la corde pouvait se rompre. Puis le cocon s'immobilisa et Spic rouvrit les yeux.

Il faisait chaud à l'intérieur – chaud, sombre et rassurant. Spic sentit les battements de son cœur se calmer.

Il respira à fond les parfums aromatiques et fut bientôt submergé par une sensation de bien-être. Rien ne pouvait plus l'atteindre à présent.

Il se roula en boule, genoux fléchis, un bras replié sous sa tête, et s'enfonça dans la douceur rembourrée. Il avait l'impression de plonger dans un bain d'huile tiède et parfumée. Il se sentait merveilleusement bien, il se sentait en sécurité et il avait envie de dormir. Ses membres lui paraissaient de plus en plus lourds. Ses paupières se fermaient.

– Ô ours bandar ! murmura-t-il. De tous les arbres possibles, le ciel en soit remercié, tu as choisi un arbre aux berceuses.

Alors, tandis que le vent balançait doucement le merveilleux cocon d'avant en arrière, d'arrière en avant, Spic sombra dans le sommeil.

Au milieu de la nuit, les nuages avaient tous disparu, emportés par des vents dissipés depuis. La lune était de nouveau basse dans le ciel. À peine visible dans le

lointain, un navire de l'air, toutes voiles dehors pour profiter du moindre souffle, traversa la nuit baignée de lune.

La surface végétale des Grands Bois étincelait comme de l'eau au clair de lune. Tout à coup, une ombre la traversa : l'ombre d'une créature volante qui planait au ras des arbres.

Elle avait de grandes ailes noires, larges et puissantes, constituées d'une membrane épaisse dont le bord inférieur festonné était terminé par des griffes acérées. L'air même semblait trembler sous ses battements d'ailes pesants mais décidés à travers le ciel indigo. La créature avait une tête petite, écailleuse et dotée d'une sorte de longue trompe là où aurait dû se trouver une bouche. Elle produisait sans cesse des bruits de succion et des reniflements écœurants tandis que chaque battement d'ailes projetait dans l'atmosphère un jet de vapeur nauséabond.

La lune était à présent trop basse pour que ses rayons percent l'épais feuillage, mais cela n'avait pas l'air de gêner la créature. Ses yeux globuleux de couleur jaune cuivré projetaient deux rayons de lumière qui sondaient l'ombre des profondeurs. La bête volait en cercles rapprochés. Elle cherchait visiblement quelque chose et paraissait bien décidée à le trouver.

Soudain, ses yeux lumineux se fixèrent sur quelque chose qui pendait à la branche d'un grand arbre aux berceuses turquoise : quelque chose de volumineux, arrondi et luisant. La créature émit un cri perçant, replia ses ailes et fondit à travers le feuillage. Alors, tendant ses pattes courtes et puissantes, elle se posa pesamment sur la branche repérée. Puis elle pencha la tête de côté et écouta.

Le son d'une respiration régulière monta vers elle. La bête huma l'air et tout son corps se mit à trembler

d'impatience. Elle fit un pas, puis un autre, et encore un autre.

Conçue pour voler, la créature avait une démarche pesante, maladroite, et coinçait soigneusement le bois entre les serres d'une patte avant d'avancer l'autre. Elle fit ainsi le tour de la grosse branche jusqu'à ce qu'elle se retrouve la tête en bas.

Ses griffes soigneusement ancrées dans l'écorce rugueuse au-dessus d'elle, la créature se trouvait au niveau de l'ouverture du cocon. Du bout osseux de sa trompe creuse elle fouilla et tâta l'intérieur du cocon. Un nouveau tremblement l'agita, plus violent encore que le premier, et une sorte de gargouillement jaillit des entrailles de son corps. Son estomac se convulsa et un flot de liquide bilieux jaillit de l'extrémité de sa trompe.

Le liquide d'un jaune verdâtre grésilla en atteignant sa cible et produisit des tourbillons de vapeur. Spic plissa le nez, mais sans se réveiller. Il rêvait qu'il était allongé dans une prairie, près d'un ruisseau transparent au courant bouillonnant. Des coquelicots écarlates se balançaient dans la brise et exhalaient un parfum si doux qu'il en avait le souffle coupé.

Les serres toujours crispées sur la branche, la créature se concentra sur le cocon lui-même. Filament par filament, elle démêla les écheveaux qui ourlaient l'ouverture en se servant des griffes de ses ailes. Puis elle les tendit en travers de la trouée qui, très vite, fut refermée.

Spic battit des paupières. Il se trouvait à présent dans une sorte de vestibule caverneux tapissé de diamants et d'émeraudes qui étincelaient comme des milliers d'yeux.

La créature ouvrit ses ailes et planta les griffes qui les terminaient dans la branche. Elle dégagea alors ses serres et, suspendue dans les airs, s'écarta pour se placer juste au-dessus du cocon. Puis elle tourna ses pattes vers l'extérieur et se mit à aspirer l'air bruyamment. Son ventre commença alors à enfler, et les écailles plantées à la base de son abdomen se dressèrent, découvrant sous chacune d'elles une sorte de tuyau rose et caoutchouteux qui sembla se dilater.

La créature émit un grondement, et un spasme violent secoua tout son corps. Un jet puissant d'une substance gluante et noirâtre jaillit alors des petits tuyaux roses directement sur le cocon.

– Mmmmffll… bnn, marmonna Spic dans son sommeil.

Le liquide semblable à du goudron fondu imprégna les parois et recouvrit bientôt le cocon tout entier. Une fois pris, il faisait de celui-ci une prison infranchissable.

Avec un petit cri de triomphe, la créature saisit entre ses serres l'espèce de coque qu'elle venait de fabriquer, trancha d'un coup d'aile griffue la corde qui la retenait à l'arbre et s'envola avec son butin dans la nuit. Se découpant sur le ciel violacé, la créature battait de ses énormes ailes. Sous elle, la coque mortelle se balançait d'avant en arrière, d'arrière en avant.

Spic flottait sur un radeau, au beau milieu d'une mer de saphir. Un soleil très jaune lui chauffait le visage tandis qu'il voguait sur les flots. Tout à coup, un banc de nuages noirs lui coupa la lumière. La mer forcit et forcit encore.

Spic ouvrit les yeux d'un coup. Il jeta un regard affolé autour de lui. Tout était noir. D'un noir d'encre. Il resta là, immobile, incapable de comprendre ce qui se passait. Ses yeux refusaient de s'accoutumer à l'obscurité. Il n'y avait pas une lueur. Pas un reflet. Un éclair de terreur explosa dans sa tête et s'attaqua à sa colonne vertébrale.

– Qu'est-ce qui se passe ? cria-t-il. Où est l'ouverture ?

Spic fit un effort pour se mettre à genoux et promena ses doigts tremblants sur les parois du cocon. Elles avaient durci et résonnaient sous les coups de poing

– Boum ! Boum ! Boum ! – sans en être le moins du monde ébranlées.

– Laissez-moi sortir ! hurla-t-il. LAISSEZ-MOI SORTIR !

Le pourrivore poussa un cri perçant et fit un écart au moment où le mouvement soudain à l'intérieur de la coque le déséquilibrait. Il battit puissamment des ailes et n'en accrocha que plus fort sa charge tapissée de noir. La créature avait l'habitude de ce genre de réaction de la part de ses victimes. Les sauts et soubresauts frénétiques ne tarderaient pas à s'interrompre. Il en allait toujours ainsi.

Spic avait le souffle court. La sueur lui piquait les yeux. L'odeur âcre de la bile s'accrochait à lui comme une seconde peau. Il étouffait. L'obscurité tournoya autour de lui. Il ouvrit la bouche, et un flot de vomi en jaillit. C'était à la fois fruité et amer, plein de graines et de pépins. L'image de l'ours bandar lui tendant un fruit délicieux lui revint à l'esprit. Mais l'ours bandar avait été dévoré par les horribles tignasses. Spic rouvrit la bouche et fut pris d'une forte convulsion. Un flot jaillit de nouveau contre les murs courbes de sa prison, formant une mare à ses pieds.

Le pourrivore changea une fois encore la position de ses serres sur la charge. La lueur douce de l'aube apparaissait déjà à l'horizon. Bientôt de retour ! Bientôt au bercail, mon petit. Tu prendras alors ta place parmi les autres, en haut de mon arbre.

Spic suffoquait. Il avait la nausée. Ses yeux lui brûlaient dans l'obscurité âcre. Le manque d'air lui portait à la tête. Le garçon prit son couteau à prénom dans sa ceinture et le saisit fermement. Puis, toujours à genoux, il se

160

mit à frapper frénétiquement la paroi devant lui. La lame glissait. Spic s'interrompit et essuya ses paumes moites sur son pantalon.

Le couteau lui avait déjà été fort utile – contre l'aérover, contre la sanguinaria –, mais sa lame d'acier suffirait-elle à briser cette coque ? Il abattit violemment la pointe contre la paroi. Il le fallait. Encore. Et encore. Il n'avait pas le choix.

Sans prêter attention aux à-coups qui venaient de l'intérieur de la coque, le pourrivore poursuivait son chemin vers son garde-manger. Il distinguait déjà les autres coques qui se profilaient à contre-jour, au sommet d'un arbre squelettique. Bats-toi, ma douceur sucrée. Plus âpre sera la lutte, plus parfumée sera la soupe ; et le ricanement caverneux du pourrivore résonna dans les ténèbres. Tu seras bientôt aussi tranquille que les autres.

Lorsqu'on en arrivait là, la bile nauséabonde que le pourrivore avait déversée sur le cocon faisait son œuvre. Elle digérait le corps de la victime, transformait chair et os en un liquide visqueux. Au bout d'une semaine, cinq jours par temps chaud, le pourrivore forait un trou dans le haut de la coque à l'aide du cercle dur à l'extrémité de sa trompe, y introduisait le long tube et n'avait plus qu'à aspirer le bouillon fétide et écœurant.

– Casse, casse, casse, marmonnait Spic entre ses dents serrées tout en continuant d'abattre son couteau contre la paroi.

Alors, au moment même où il s'apprêtait à renoncer, un craquement retentit et la coque céda enfin. Un fragment de paroi de la taille d'une assiette sombra dans le vide.

– OUI ! s'écria Spic.

L'air s'engouffra par le trou. Essoufflé par l'effort, Spic se pencha pour placer son visage juste devant l'ouverture et inspira profondément. Il reprit peu à peu ses esprits.

L'air frais avait un goût délicieux.

Il avait goût de vie.

Spic regarda au loin. Une rangée de sapins morts et décharnés se dressait, noire contre le ciel rose. En haut de l'un des troncs, des objets en forme d'œuf étaient regroupés le long d'une branche : il s'agissait de cocons d'oisoveille scellés.

« Il faut que j'agrandisse ce trou, se dit Spic en levant le couteau bien haut au-dessus de sa tête. Et vite. » Il l'abattit de toutes ses forces contre la paroi où il atterrit avec un bruit curieux. Qu'est-ce que… ?

Spic baissa les yeux et gémit.

Le coup qui avait brisé un morceau de coque avait également cassé la lame du couteau. Spic n'avait plus en main que le manche.

– Mon couteau à prénom, se lamenta-t-il en refoulant ses larmes. Brisé.

Il jeta le bout de corne désormais inutilisable, se cala contre l'autre côté de la coque et entreprit de donner des coups de pied rageurs contre la paroi.

– Casse, espèce de saleté, rugit-il. CASSE !

Le pourrivore oscilla en plein vol. Eh, qu'est-ce qui se passe, maintenant ? Eh bien, eh bien, quelle petite douceur décidée que voilà ! Je vais te déplacer un peu. Voilà. C'est mieux. On ne voudrait pas que tu tombes, tout de même, hein ?

Les coups de pied de Spic redoublèrent de violence. Des fragments de paroi se détachèrent avec fracas de la coque. Soudain, deux grandes fissures zigzaguèrent de part et d'autre de l'ouverture, soulignées par l'éclat du soleil matinal.

– Aaaaaiiii, cria Spic. Je tombe !

Le pourrivore poussa un hurlement de fureur en sentant la coque lui échapper. Déséquilibré, il commençait à tomber dans les airs. Mais tiens-toi tranquille, petite saleté !

Malgré sa fatigue, il battit vigoureusement des ailes pour enrayer sa chute. Cependant, quelque chose n'allait pas.

La créature s'en rendait compte, à présent. À quoi joues-tu, mon méchant petit souper ? Tu devrais être mort à l'heure qu'il est. Mais sois sûr que je ne te laisserai pas échapper.

Spic donna un nouveau coup de pied. La fissure courut au-dessus de sa tête et jusque derrière lui. Encore un. La fissure s'étendit sous ses pieds. Il regarda en bas. Une ligne brisée de lumière passait entre ses jambes. Le vomi et la bile s'écoulèrent au-dehors.

Spic contempla, horrifié, la traînée verte s'élargir sous lui. Il interrompit ses coups de pied. Il serait beaucoup trop dangereux de tomber d'une telle hauteur. Plus que jamais encore, il avait besoin d'aide.

– Oisoveille ! appela-t-il. Où es-tu ?

Le pourrivore siffla. Mauvais souper ! Mauvais ! Il était presque à bout de forces et volait de plus en plus bas. Ses yeux jaune cuivré pivotèrent pour regarder sa réserve de cocons. Si proche et à la fois si lointaine.

Le paysage qui défilait sous eux passait du vert au brun. Spic regarda plus attentivement. La forêt, de moins en moins dense, était par endroits complètement desséchée. De grands squelettes d'arbres délavés jonchaient le sol miroitant. Certains étaient encore debout, leurs branches mortes tendues vers le ciel comme pour attraper l'air avec leurs doigts osseux.

Tout à coup, il y eut un énorme craquement. La coque avait heurté le sommet d'un de ces troncs morts. Spic fut projeté en arrière. Il se cogna la tête contre la paroi. La fissure s'élargit encore et la coque, avec Spic toujours à l'intérieur, se mit à tomber.

Plus bas, plus bas, toujours plus bas. Spic sentit son estomac se retourner. Le cœur lui montait aux lèvres.

Il ferma les yeux, prit une profonde inspiration et se prépara au choc.

CHMOULK !

Il avait atterri sur quelque chose de mou, quelque chose qui s'infiltrait par les fissures de la coque comme du chocolat liquide et granuleux. Spic plongea le doigt dans la substance brunâtre et le porta à ses narines. C'était de la boue. Une boue riche et épaisse. Il se trouvait au milieu d'un marécage tourbeux.

Cherchant maladroitement son équilibre, Spic tendit le bras, glissa les doigts dans la fissure la plus large et tira. La boue lui arrivait déjà aux chevilles. D'abord, rien ne se passa. Les fibres imbibées de goudron durci du cocon restaient incroyablement résistantes. La boue lui atteignit les genoux.

– Allez ! s'exclama-t-il.

Il coinça son coude et parvint à écarter très légèrement les deux bords. Ses veines saillirent sur ses tempes, ses muscles se nouèrent. Brusquement, la lumière inonda la coque. Celle-ci avait fini par s'ouvrir en deux.

– Oh, non ! s'écria-t-il lorsque la plus grosse partie se redressa instantanément et coula dans la boue. Qu'est-ce que je vais faire ?

Son seul espoir résidait à présent dans la partie la plus petite de la coque qui flottait encore. S'il parvenait à grimper dessus, peut-être pourrait-il s'en servir comme d'une barque de fortune.

Dans le ciel au-dessus de lui, il entendit un cri de fureur perçant. Il leva les yeux. Là, tournoyant au-dessus de sa tête, il découvrit une créature hideuse et répugnante. Celle-ci l'observait par ses yeux sans pupilles, jaunes et lumineux. Ses grandes ailes noires et membraneuses, luisantes de sueur, battaient bruyamment l'air. Soudain, la bête fit demi-tour et plongea. L'instant d'après, Spic sentit des serres acérées lui érafler le crâne, arrachant au passage quelques mèches de cheveux.

La créature tournoya et plongea encore. Des fils élastiques de salive verte s'écoulaient de sa trompe. Cette fois, Spic esquiva. La bête passa tout près, poussa un nouveau cri et arrosa sa proie d'une pluie de bile malodorante.

Spic eut un nouveau haut-le-cœur puis entendit le battement d'ailes s'éloigner. Lorsqu'il releva les yeux, la créature était perchée au loin, en haut d'un arbre mort, noire sur le ciel matinal. Sous elle pendait un ensemble de coques, chacune pleine de pourriture. Spic poussa un

soupir de soulagement. La bête avait renoncé. Il ne connaîtrait pas cette mort épouvantable.

L'instant d'après, son soulagement se muait en panique.

– Je coule ! cria-t-il.

Accroché à son morceau de coque, Spic essayait désespérément de s'arracher au marécage. Mais chaque fois qu'il tirait le fragment à lui, celui-ci basculait et embarquait encore un peu plus de boue. À la troisième tentative, il coula définitivement.

La boue lui arrivait maintenant au ventre, et elle montait toujours. Spic agita les bras et donna des coups

de pied, mais le liquide épais ne fit que l'aspirer un peu plus.

– Ô Luminard ! gémit Spic. Qu'est-ce que je dois faire ?

– Ne paniquez pas, c'est la première chose, fit une voix.

Spic n'en revint pas. Il y avait donc quelqu'un pour le regarder se battre.

– Au secours ! hurla-t-il. Aidez-moi !

Il essaya de se retourner, ce qui lui fit perdre encore une poignée de centimètres. La boue avait maintenant dépassé sa poitrine et partait à l'assaut de sa nuque.

Un petit gobelin osseux, doté d'une tête plate et d'une peau jaunâtre, se tenait appuyé contre un arbre mort et mâchonnait un brin de paille.

– Vous voulez que moi, je vous aide ? chantonna-t-il d'une voix nasillarde.

– Oui, oui, absolument. Il faut que vous m'aidiez, fit Spic qui crachota au moment où la boue lui arriva à la bouche pour couler dans sa gorge.

Le gobelin jeta sa paille avec un petit sourire satisfait.

– Alors je vais le faire, maître Spic, dit-il. Si vous en êtes bien sûr.

Il leva les bras, arracha une branche morte au tronc qui lui servait d'appui et la lança en travers du traître marécage. Spic cracha l'horrible boue et se précipita sur la branche, s'y raccrochant comme à une bouée de sauvetage.

Le gobelin tira. Spic fut peu à peu aspiré hors de la boue collante, de plus en plus près de la rive. Il cracha. Il toussa. Il pria pour que la branche délavée ne cède pas. Puis, soudain, il sentit la terre ferme sous ses genoux, puis sous ses coudes. Le gobelin laissa tomber la branche, et Spic sortit à quatre pattes du marais.

Une fois délivré, Spic s'effondra. Il resta un moment allongé, face contre la terre ferme. Il devait la vie au gobelin. Pourtant, lorsqu'il redressa enfin la tête pour remercier son sauveur, il s'aperçut qu'il était de nouveau seul. La tête plate n'était plus visible nulle part.

– Eh ! appela Spic d'une voix faible. Où êtes-vous ?

Il n'y eut pas de réponse. Il se releva péniblement et regarda autour de lui. Le gobelin avait disparu. Il ne restait plus, par terre, qu'un brin de paille mâchonné à une extrémité. Spic s'accroupit à côté.

– Pourquoi s'enfuir comme ça ? murmura-t-il.

Il s'assit dans la poussière et appuya sa tête sur ses mains. Tout à coup, une autre question s'imposa : comment le gobelin à tête plate avait-il pu connaître son nom ?

CHAPITRE 10

Les harpies troglos

LE CALME RÉGNAIT. LE SOLEIL ÉTAIT CHAUD ET ÉCLATANT. Spic avait tant respiré les substances accumulées au fond de la coque qu'il avait la gorge en feu. Il avait besoin de boire.

Il se releva et regarda son ombre s'étirer en travers du dangereux marécage. Une mare tentatrice étincelait au bout. Si seulement il y avait moyen d'y arriver sans se faire aspirer par la boue… Spic cracha par terre et se détourna.

– Elle est sûrement croupie, de toute façon, dit-il.

Il entreprit de traverser le paysage spongieux et désertique. Autrefois, les marais avaient dû s'étendre jusque-là. Il n'y poussait désormais plus rien sauf par endroits, une tache d'algues vert pâle. La vie ne s'avouait pourtant pas vaincue dans cet environnement. À chaque pas, Spic soulevait des nuées de cousins malfaisants qui bourdonnaient autour de lui. Ils se posaient sur son visage, ses bras, ses jambes, et partout le mordaient.

– Partez ! Allez-vous-en ! s'écriait Spic en essayant de les écraser. Quand ce n'est pas une chose, c'en est… aïe ! – Paf – … une autre !

Paf. Paf. Paf.

Spic se mit à courir. Les cousins le suivirent comme autant de feuilles de satin claquant au vent. Plus vite. Plus vite. Après les formes squelettiques des arbres morts. Par-delà la tourbière élastique. Il trébuchait, glissait, mais jamais ne s'arrêtait. Il put bientôt quitter le territoire désolé de l'affreux pourrivore pour retrouver les Grands Bois.

Il les respira avant de les atteindre. Le sol riche, les feuillages luxuriants, les fruits succulents – autant de parfums familiers qui lui mirent l'eau à la bouche et firent battre son cœur plus vite encore. Les cousins semblaient moins attirés. À mesure que les parfums riches et fertiles s'intensifiaient, leur nombre diminuait. Ils ne tardèrent pas à abandonner complètement leur proie pour retourner à leur désert âcre et putride.

Spic poursuivit son chemin. Les Grands Bois se refermèrent sur lui comme une grande couverture verte. Il n'y avait ni piste ni sentier ; il lui fallait tracer lui-même sa voie dans les sous-bois touffus. À travers frondes et fougères géantes, franchissant des côtes, dévalant des fossés, Spic

174

continuait d'avancer. Il ne s'arrêta que lorsqu'il arriva à un saule-gouttes.

Le saule-gouttes, avec ses longues branches souples couvertes de feuilles nacrées, ne poussait que près de l'eau. Spic l'avait appris de l'ours bandar. Il écarta le rideau de branches pendantes et découvrit, bouillonnant sur un lit de cailloux, un courant d'eau pure et cristalline.

– Le ciel soit remercié, fit Spic d'une voix rauque en tombant à genoux.

Il fit une coupe de ses mains et les plongea dans l'eau glacée. Il prit une gorgée, l'avala et sentit le liquide froid couler à l'intérieur de son corps. C'était bon, doux et terrien à la fois. Il but encore et encore. Il but jusqu'à ce que son estomac soit rempli et sa soif apaisée. Puis, avec un soupir de reconnaissance, Spic se laissa tomber tout entier dans l'onde.

Il y resta un moment. L'eau apaisa les morsures des insectes et nettoya ses cheveux et ses vêtements. Il y resta

jusqu'à ce que toute trace de boue, de vomi et de bile nauséabonde ait été nettoyée.

– Tout propre, commenta-t-il en se redressant sur ses genoux.

Aussitôt il aperçut dans l'eau un éclair orangé. Spic se figea. Les tignasses étaient orange ! La tête toujours baissée, Spic jeta nerveusement un coup d'œil à travers ses mèches de cheveux dégoulinants.

Tapie derrière un rocher, de l'autre côté du ruisseau, il découvrit non pas une tignasse mais une fille. Une fille au visage pâle, presque translucide, surmonté d'une masse de cheveux roux. De la compagnie !

– Eh ! appela Spic. Je… Ohé !

Mais la fille disparut prestement. Spic sauta sur ses pieds et traversa le ruisseau dans une gerbe d'éclaboussures. Pourquoi ne l'attendait-elle pas ? Il sauta sur la rive, puis sur le rocher. Il repéra un peu plus loin la fille qui se glissait derrière un arbre.

– Je ne te ferai pas de mal, assura-t-il, haletant. Je suis gentil. Je te jure !

Mais lorsqu'il atteignit l'arbre, la fille n'y était plus. Il la vit regarder en arrière avant de se glisser dans une clairière de hautes herbes ondulantes. Il se lança à sa poursuite. Il aurait voulu qu'elle s'arrête, qu'elle revienne, qu'elle lui parle. Il continua à courir. Entre des arbres, par des clairières… toujours tout près, mais jamais tout à fait assez près.

Alors qu'elle filait derrière un gros tronc recouvert de lierre, la fille regarda pour la troisième fois derrière elle. Spic sentit ses cheveux se dresser sur sa nuque. Son gilet en peau de hammel à cornes se hérissa. Et si la fille, au lieu de vérifier qu'elle l'avait bien semé, s'assurait au contraire qu'il l'avait bien suivie ?

Il reprit son chemin, mais avec plus de prudence à présent. Il fit le tour de l'arbre. La fille était introuvable. Spic regarda dans les branches. Il avait le cœur battant, et son crâne le chatouillait. Il pouvait y avoir n'importe quoi qui le guettait dans l'épais feuillage, prêt à frapper... rigoureusement n'importe quoi.

Il toucha ses amulettes, et fit un autre pas. Où était passée la fille ? Et si tout cela n'était qu'un horrible piège... ?

– Ouaiiiiiiiii ! hurla Spic.

Le sol venait de s'ouvrir et il se sentit tomber. Il dévala un long tunnel courbe. Il se cogna, se cogna, roula, tressauta, s'écrasa, rebondit et plaf ! atterrit sur un gros tas de foin.

Sonné, Spic leva les yeux. Tout tournoyait. Des lumières jaunes, des racines tordues... et quatre visages qui l'examinaient.

– Où étais-tu ? firent deux des visages. Tu sais que je n'aime pas beaucoup que tu montes. C'est trop risqué. Un jour, ma fille, le luminard t'emportera, c'est sûr.

– Je suis assez grande pour faire attention, répondirent les deux autres visages.

Spic secoua la tête. Les quatre visages se réduisirent à deux. Le plus gros se rapprocha, tout en yeux injectés de sang et grosses lèvres plissées.

– Et qu'est-ce que c'est que ça ? se plaignit-il. Oh, Mag, qu'est-ce que tu m'as encore rapporté ?

La fille au teint pâle caressa les cheveux de Spic.

– C'est lui qui m'a suivie, Mamoune. Je peux le garder, dis ?

La Mamoune en question s'écarta et croisa les bras. Elle prit une profonde inspiration, enflant de manière impressionnante, et examina Spic d'un air méfiant.

– J'espère que ce n'est pas un parleur, fit-elle. Je te l'ai déjà dit, je ne veux pas de bêtes qui parlent.

Spic déglutit nerveusement.

Mag secoua la tête.

– Je ne crois pas, Mamoune. Juste les petits bruits normaux, mais pas de mots.

– Tu as intérêt à me dire la vérité, grogna Mamoune. Les parleurs n'apportent que des ennuis.

Mamoune était énorme, avec des avant-bras dégoulinants et un cou aussi large que sa tête. En outre, contrairement à la jeune fille que son teint pâle rendait presque invisible dans la pénombre souterraine, Mamoune concentrait la lumière. À l'exception de son visage, chaque centimètre de peau exposée était couvert de tatouages chatoyants.

Il y avait des arbres, des armes, des symboles, des animaux, des visages, des dragons, des têtes de mort ; tout ce qu'on peut imaginer. Son crâne chauve lui-même portait des tatouages. Ce que Spic avait pris au départ pour des mèches de cheveux plaquées étaient en fait des serpents enroulés. Elle leva le bras pour gratter pensivement son nez gigantesque, gonflant sans le vouloir les biceps. La manche de sa robe imprimée se releva dans un bruissement de papier, et Spic se trouva alors face à l'image d'une petite fille aux cheveux orange vif. Juste en dessous, en lettres indigo, un message était tatoué : MAMOUNE AIME MAG.

– Alors ? fit Mag.

– Mag, fit sa mère en reniflant. Il y a des fois où tu es plutôt pénible, comme troglo. Mais... bon, admettons. CEPENDANT, ajouta-t-elle en interrompant les cris de joie de sa fille, il sera sous ta responsabilité. C'est bien compris ? Ce sera à toi de lui donner à manger, de le promener et de nettoyer ses saletés si jamais il fait quelque chose dans la caverne. Suis-je bien claire ?

– Claire comme de l'eau de roche, Mamoune.

– Et si j'entends ne serait-ce qu'un seul mot, reprit la mère, je tords le cou à cette petite bestiole. Compris ?

Mag hocha la tête. Puis elle tendit le bras et appela Spic en l'attrapant par les cheveux.

– Ouille ! s'exclama Spic, qui lui tapa sur la main.

– Il m'a frappée ! hurla Mag. Mamoune, ma petite bête m'a fait mal !

Spic se sentit aussitôt soulevé dans les airs. Il se retrouva, pétrifié, face aux terribles yeux injectés de sang de la troglo.

– Si JAMAIS je te prends à pousser, frapper, griffer ou mordre mon petit rayon de lune, je te…

– Ou à me faire mal de n'importe quelle façon, coupa Mag.

– Ou à lui faire mal de n'importe quelle façon, je te…

– Ou à me faire de la peine.

– Ou à lui faire de la peine, je te…

– Ou à essayer de s'enfuir.

– Ou à essayer de t'enfuir, répéta Mamoune avec un froufroutement de sa robe de papier, tu es mort ! La règle, c'est mutisme et obéissance. Compris ?

Spic ne savait pas trop s'il devait acquiescer ou non. S'il n'avait pas le droit de parler, avait-il celui de comprendre ? De toute façon, la poigne solide de Mamoune l'empêchait pratiquement de bouger. Elle renifla et le laissa retomber par terre.

Spic leva les yeux avec lassitude. Mag se tenait derrière sa mère, mains croisées devant elle avec un air de sainte-nitouche épouvantable. Elle s'avança vers lui et lui tira les cheveux pour la seconde fois. Spic fit une grimace de douleur et se leva passivement.

– Voilà qui est mieux, grogna Mamoune. Comment vas-tu l'appeler ?

Mag haussa les épaules et se tourna vers son nouvel animal pour demander :

– Est-ce que tu as un nom ?

– Spic, répondit-il automatiquement, le regrettant aussitôt.

– Qu'est-ce que c'est que ça ? rugit Mamoune. C'était un mot, ça, non ? fit-elle en poussant brutalement Spic au niveau de la poitrine. Alors, tu es un parleur ou pas ?

– Spiiiiic, Spiiiiic, fit-il, s'efforçant désespérément de faire passer son nom pour un cri animal. Spiiiiic !

Mag passa le bras autour de ses épaules et sourit à sa mère.

– Je crois que je vais l'appeler Spic.

Le front plissé, Mamoune menaça Spic du regard.

– Un mot, un seul, gronda-t-elle, et je t'arrache la tête.

– Spic va se conduire très bien, assura Mag. Viens, mon garçon, lui dit-elle. On va jouer.

Les mains sur les hanches, Mamoune regarda Mag emmener Spic, qui gardait tête baissée.

– Je vais l'avoir à l'œil, celui-là, dit-elle assez fort pour qu'il l'entende. Vous allez voir.

Ils s'enfoncèrent dans le tunnel, et les menaces de Mamoune s'évanouirent. Il y avait des escaliers, des rampes et de longues pentes étroites qui les conduisaient plus bas, toujours plus bas. Spic n'aimait pas beaucoup l'idée d'avoir toute cette terre et ces rochers au-dessus de la tête. Qu'est-ce qui les empêchait de s'écrouler ? Qu'est-ce qui les empêchait de l'engloutir complètement ?

Tout à coup, le trajet oppressant toucha à sa fin. Tremblant d'étonnement, Spic regarda autour de lui. Ils se trouvaient dans une immense caverne souterraine.

Mag lui lâcha les cheveux.

– Tu vas te plaire ici, avec nous, les harpies troglos, Spic, disait-elle. Il ne fait jamais ni trop chaud ni trop froid. Il n'y a ni pluie, ni neige, ni vent. Il n'y a ni plantes vénéneuses ni bêtes sauvages…

Les doigts de Spic se portèrent machinalement à la dent qu'il portait autour du cou, et une larme coula sur sa joue.

Ni plantes vénéneuses ni bêtes sauvages, pensa-t-il. Ni ciel ni lune non plus… La fille le poussa brutalement dans le dos, et Spic se remit en marche. Ni liberté non plus.

Comme dans le tunnel, il régnait dans la caverne une lumière pâle. Le sol sous ses pieds avait été foulé et aplati par des générations de troglos. Le plafond, lui, montait très haut au-dessus de sa tête. Reliant les deux, tels des piliers noueux, se dressaient de longues et puissantes racines entremêlées.

Spic songea que cela faisait penser à un reflet des Grands Bois eux-mêmes. Mais des Grands Bois en hiver, lorsque les arbres avaient perdu leurs feuilles.

À la lueur de la caverne, les racines semblaient tordues, fantomatiques, et… Spic poussa une exclamation. Il s'était trompé. La lueur ne baignait pas les racines des arbres, elle en émanait.

– Spic ! fit Mag pour le rappeler à l'ordre alors qu'il courait examiner les racines de plus près.

Blanches, jaunes, brun champignon ; une bonne moitié des longues racines vigoureuses brillaient d'une lueur qui palpitait vaguement. Spic posa les mains sur l'une d'elles. C'était chaud et il sentit comme une légère pulsation.

– Spic ! piailla Mag. AU PIED.

Spic regarda autour de lui. Les yeux de Mag lançaient des éclairs. Il se rappela : mutisme et obéissance. Alors il revint en trottinant près d'elle.

– Les racines t'intéressent, c'est ça ? dit-elle en lui flattant la tête. Elles nous donnent tout ce dont nous avons besoin.

Spic hocha la tête, mais ne dit rien.

– La lumière, bien sûr, énonça Mad en désignant des racines lumineuses. De quoi manger, ajouta-t-elle en cueillant deux tubercules d'une racine fibreuse.

Elle en mit un dans sa bouche et donna l'autre à Spic, qui l'examina d'un air méfiant.

– Mange, fit Mag avec insistance. Vas-y ! Je vais le dire à Mamoune, ajouta-t-elle d'une petite voix sucrée en voyant que Spic refusait de s'exécuter.

Le morceau était à la fois juteux et croustillant. Il avait un goût de noix grillée. Spic se lécha les babines avec une exclamation de satisfaction.

Mag sourit et reprit ses explications :

– Celles-là, on les fait sécher et on en fait de la farine. Celles-ci, on en fait de la pâte à papier. Les autres, là, brûlent bien. Et celles-là… commença-t-elle en s'arrêtant près d'une racine bulbeuse couleur chair. Bizarre, commenta-t-elle en fronçant les sourcils. Je n'en avais jamais vu à l'état sauvage. Spic, reprit-elle d'un ton sévère. Tu ne dois jamais, jamais, manger de ces racines-là.

Un peu plus loin, ils arrivèrent à un endroit où la plupart des racines verticales avaient été coupées pour former une clairière autour d'un profond lac d'eau sombre. Les racines qui restaient se déployaient près du sol en éventail, en forme de dômes et de serpentins. Certaines abritaient toute une collection de capsules gigantesques, distinctes les unes des autres mais reliées entre elles par des passerelles. Arrondies, couleur chamois avec de petites entrées sombres et circulaires, ces capsules étaient à certains endroits disposées sur cinq étages.

– Ce sont les rayons troglos où nous vivons, indiqua Mag. Suis-moi.

Spic sourit. Mag ne l'avait pas saisi par les cheveux. Elle commençait à lui faire confiance.

Spic découvrit bientôt que les capsules étaient constituées d'une sorte de papier semblable à la robe de Mamoune, mais en beaucoup plus épais. Ça crissait sous les pieds quand Spic parcourut en trébuchant les passerelles, et produisait un son creux quand il frappa contre les murs courbes.

– Ne fais pas ça ! fit sèchement Mag. Ça dérange les voisins.

La capsule de Mag était située en haut, à gauche de l'ensemble, et se révéla beaucoup plus vaste à l'intérieur qu'elle semblait de l'extérieur. Les racines projetaient une lueur crémeuse à travers les murs. Spic huma l'air et crut y déceler un parfum de cannelle.

– Tu dois être fatigué, décréta Mag. Toi, tu couches là-bas, dit-elle en lui montrant un panier. Mamoune n'aime pas que les animaux dorment sur mon lit. Mais moi si ! ajouta-t-elle avec un sourire perfide. Allez viens, saute là-dessus, dit-elle en tapotant le bout de son lit. Si tu viens là, je ne le lui dirai pas.

Et elle éclata de rire.

Spic s'exécuta. C'était peut-être interdit, mais l'épais matelas de papier était chaud et moelleux. Spic sombra instantanément dans un profond sommeil sans rêves.

Quelques heures plus tard – la notion de jour et de nuit se perdait, dans la lumière constante des habitations troglos –, Spic fut réveillé par une main sur sa tête. Il ouvrit les yeux.

– Bien dormi ? demanda Mag vivement.

Spic émit un grognement.

– Tant mieux, fit-elle en sautant du lit. Parce qu'on a des tonnes de trucs à faire. Il faut qu'on cueille un peu de tubercules et qu'on aille traire quelques racines à lait pour le petit déjeuner. Ensuite, quand on aura tout nettoyé, Mamoune veut qu'on l'aide à préparer de la pâte à papier. Il y a tellement de filles qui sont arrivées à l'âge de passer harpies, ces derniers temps, qu'on n'a plus grand-chose pour faire nos robes.

– Et si tu es gentil, poursuivit Mag sans même reprendre haleine, on ira faire une promenade. Mais avant ça, dit-elle en lui passant doucement les doigts dans les cheveux et sur la joue, avant ça, mon petit Spic chéri, je vais te faire une vraie beauté.

Spic gémit et, atterré, regarda Mag fouiller dans un petit placard. Un instant plus tard, elle revenait avec un plein plateau d'objets divers.

– Voilà, dit-elle en le posant par terre. Et maintenant, viens t'asseoir devant moi.

Spic obéit à contrecœur.

Mag prit une sorte d'éponge en fibre de racine grise et douce et le lava avec de l'eau qu'elle avait rapportée du lac souterrain et de la racine de rosier parfumée. Puis elle l'essuya et le frictionna avec une poudre sombre et odorante. Spic éternua, et Mag le moucha avec un mouchoir.

« Quelle honte ! songea Spic. C'est indigne ! » Et il se détourna avec colère.

– Allons, allons, le réprimanda Mag. On ne voudrait pas que Mamoune apprenne que tu as été méchant, n'est-ce pas ?

Spic ne bougea plus et laissa Mag prendre un peigne de bois pour démêler la masse enchevêtrée de ses cheveux.

– Tu as de beaux cheveux, Spic. Noirs et épais… dit-elle en tirant vigoureusement sur un nœud récalcitrant.

Mais très emmêlés ! Par le monde souterrain, comment as-tu pu les mettre dans cet état ?

Elle tira encore et Spic cilla. Les larmes lui montèrent aux yeux et il se mordit la lèvre inférieure jusqu'au sang. Mais il ne laissa pas échapper un son.

– Moi, je me brosse les cheveux deux fois par jour, dit Mag en rejetant en arrière sa chevelure flamboyante d'un mouvement de tête. Bientôt, chuchota-t-elle en se rapprochant de Spic, ils vont tous tomber. Tous mes cheveux. Et alors moi aussi, je deviendrai une harpie, comme Mamoune.

Spic hocha la tête avec compassion.

– Ce que je suis impatiente ! s'exclama Mag à sa grande surprise. Une harpie. Tu imagines, mon petit Spic chéri ? Non, reprit-elle en posant le peigne. Bien sûr que non, puisque tu es un garçon. Et les garçons…

Elle s'interrompit pour ouvrir une petite bouteille, et versa un peu de liquide épais et jaune dans le creux de sa main. C'était doux et piquant à la fois, et, lorsqu'elle en frotta la tête de Spic, celui-ci sentit son crâne le picoter et ses yeux larmoyer.

– … ne peuvent pas devenir des harpies.

Elle s'interrompit de nouveau, sélectionna un petit carré de cheveux et le sépara en trois mèches qu'elle entreprit de tresser.

– Mamoune dit que c'est à cause de la racine. Notre Mère Carnasse, dit-elle avec respect.

Spic frissonna au nom même de l'arbre carnivore assoiffé de sang qui avait bien failli lui coûter la vie. Il caressa avec reconnaissance son gilet en peau de hammel à cornes.

– C'est cette racine rose que tu as vue en venant ici, Spic, dit-elle en enfilant des perles sur la tresse achevée. Tu te rappelles ? Celle que je t'ai dit de ne jamais manger. C'est du poison pour les garçons, tu comprends ? Un poison mortel, ajouta-t-elle d'une voix étouffée. Mais pas pour les filles.

Spic l'entendit ricaner en prenant une deuxième mèche de cheveux.

– C'est le jus de racine qui rend Mamoune et les autres si grandes et si fortes. Il y a un proverbe qui dit que « quand la Mère Carnasse au rouge vire, les harpies doivent leur faim assouvir ».

Spic eut un sursaut. « Quand la Mère Carnasse au rouge vire… » Il savait ce que cela voulait dire et se sentit l'estomac chaviré tandis que Mag continuait à lui tresser les cheveux et à y mettre des perles.

– Ohhh ! mais tu commences à être très joli, Spic.

Spic fit la grimace.

– Bien sûr, reprit-elle pensivement, les troglos mâles n'apprécient pas vraiment la situation. Mais ils ont beau être vilains, maigrichons, fouineurs, vicieux et fourbes, fit-elle en plissant le nez de dégoût, ils ont quand même leur utilité. Il faut bien que quelqu'un fasse la cuisine et le ménage, ajouta-t-elle avec un soupir.

« Le ciel en soit remercié, je ne suis qu'un animal de compagnie », songea Spic.

– Un jour, ils ont essayé de tout saboter, raconta Mag. C'était avant ma naissance. Apparemment, tous les mâles s'étaient unis et ils ont essayé de brûler la Mère Carnasse. Les harpies étaient furieuses. Elles leur ont donné une bonne correction et ils n'ont pas réessayé depuis, ajouta-t-elle avec un rire déplaisant. Quelle bande de bons à rien !

Spic sentit qu'elle lui enfilait trois autres perles.

– De toute façon, fit Mag plus calmement, les grandes racines sont bien gardées maintenant... Voilà ! s'exclama-t-elle soudain. Tourne-toi, que je te regarde.

Spic s'exécuta.

– Parfait ! commenta-t-elle. Allez, viens, Spic, mon chéri. On va chercher le petit déjeuner.

Le temps passa, comme il le fait toujours, bien qu'il fût difficile de l'évaluer dans la caverne immuable des troglos. Mag semblait passer une éternité à couper les ongles des mains et des pieds de Spic, et, la dernière fois qu'elle l'avait coiffé, elle s'était exclamée à plusieurs reprises que ses cheveux avaient énormément poussé.

Soigné et cajolé par Mag, mais aussi par les autres troglos femelles, Spic menait chez les harpies une existence assez agréable. Cependant, il trouvait le monde souterrain très oppressant. L'air frais et la morsure du vent lui manquaient. Le lever et le coucher du soleil lui manquaient. L'odeur de la pluie, le chant des oiseaux, la couleur du ciel lui manquaient. Et surtout, l'ours bandar lui manquait.

Le plus curieux, concernant cette vie souterraine – cette vie passée sous les Grands Bois, leurs pièges et leurs périls –, était que cela donnait à Spic le temps de penser. Avec l'ours bandar, il n'avait pas vraiment eu besoin de réfléchir. Il fallait toujours trouver de quoi manger, chercher un lieu où dormir. Mais maintenant qu'il avait tout sous la main, Spic n'avait rien d'autre à faire que cogiter.

Au début du séjour de Spic auprès d'elle, Mag ne le quittait guère des yeux. Mais depuis quelque temps, l'attrait de la nouveauté semblait s'être dissipé. Mag lui avait mis un collier et avait pris l'habitude de l'attacher à son lit chaque fois qu'elle partait sans lui.

La corde était assez longue pour qu'il puisse aller n'importe où à l'intérieur de la capsule de papier et même atteindre les marches extérieures. Mais chaque fois qu'il arrivait au bout de la corde, le collier se resserrait sur son cou et rappelait à Spic qu'il n'était qu'un prisonnier languissant de revoir les Grands Bois au-dessus.

Peut-être finirait-il alors par retrouver le sentier qui le mènerait à sa famille. Spelda serait folle de joie de le voir revenir des Grands Bois. Tontin lui-même sourirait sûrement, lui donnerait de grandes claques dans le dos et l'inviterait à venir couper quelques arbres avec lui. Tout serait différent. Il se coulerait dans le moule, cette fois, il ferait plus d'efforts, il s'en tiendrait à ce que font les trolls des bois, penserait ce que pensent les trolls, et surtout ne s'écarterait plus jamais, jamais, au grand jamais, du chemin.

Le collier lui irritait le cou. Alors il se demanda si, en rentrant chez lui – en s'efforçant toujours d'être un troll des bois sans jamais y arriver –, il serait jamais autre chose qu'un prisonnier.

Il pensa à l'oisoveille. Qu'était-il devenu ?

– Voilà ce qu'il appelle veiller sur moi, murmura-t-il amèrement.

Ton destin t'attend par-delà les Grands Bois, lui avait-il dit.

– Par-delà ! fit Spic avec un ricanement bref. Plutôt en dessous, oui, et c'était un destin d'animal familier pour enfant gâtée. Ô Luminard ! jura-t-il.

Il y eut un bruissement à l'extérieur des capsules et Spic se figea. « Il faut que j'arrête de parler tout seul, se dit-il, ou je vais finir par me faire prendre. »

L'instant d'après, Mag surgit avec une grande feuille de papier brun pliée sur un bras.

– On m'a dit de me préparer, annonça-t-elle avec excitation.

Elle étendit la feuille sur le sol et commença à dessiner. Spic y jeta un coup d'œil et prit un air étonné.

– Bientôt, Spic, mon chéri, expliqua Mag avec un sourire, j'aurai ce dessin tatoué sur le dos.

Spic examina le dessin avec plus d'attention. Il représentait une harpie massive et musclée ; jambes écartées, mains sur les hanches, une expression féroce sur le visage.

– C'est ce qu'on fait toutes, poursuivit-elle.

Spic eut un pauvre sourire. Il désigna l'image, puis Mag elle-même et de nouveau l'image.

– Oui, répondit Mag. C'est bien moi. Comme je serai.

Spic se désigna alors et pencha la tête de côté.

– Oh, Spic ! murmura-t-elle. Mais je t'aimerai toujours !

Rassuré, Spic se redressa. À cet instant, cependant, un bruit de pas pesants se fit entendre à l'extérieur. Tout sentiment de bien-être se dissipa en lui et Spic se mit à mordiller un coin de son foulard. C'était Mamoune.

– Mag ? piailla-t-elle. MAG !

– Je suis là, répondit Mag en levant la tête.

L'entrée fut aussitôt obstruée par la silhouette massive de Mamoune.

– Il faut que tu viennes avec moi, annonça-t-elle. Maintenant.

– C'est l'heure ? demanda Mag avec empressement.

– C'est l'heure, grogna Mamoune.

– Tu entends ça, Spic ? fit Mag en se levant d'un bond. C'est l'heure ! Viens vite.

– Là où tu vas, tu n'auras pas besoin de lui, dit Mamoune.

– Oh, s'il te plaît, Mamoune ! supplia Mag d'un ton geignard.

– Mais tu verras que tu ne voudras pas de lui, là-bas. Pas après.

– Si ! fit Mag sur un ton de défi.

Spic les regarda alternativement. Mamoune grondait. Mag souriait.

– Toi, tu aimerais bien venir, hein ? demanda-t-elle.

Spic lui rendit son sourire. N'importe quoi pour ne pas rester une minute de plus attaché à ce lit. Il hocha vigoureusement la tête.

– Tu vois, s'écria Mag, triomphante. Je te l'avais dit.

– Tu attribues bien trop d'esprit à cet animal…

– S'il te plaît, Mamoune, s'il te plaît ! supplia Mag.

– Oh, s'il le faut, alors… capitula Mamoune en ramassant le dessin. Mais tu le garderas attaché.

Elle se tourna ensuite vers Spic et le toisa de ses yeux injectés de sang.

– Et prends garde à toi si jamais tu fais quoi que ce soit – QUOI QUE CE SOIT – pour gâcher le grand jour de ma Mag !

Il régnait dehors une atmosphère d'attente. Les chemins qui entouraient le lac grouillaient de troglos femelles qui allaient toutes dans la même direction. Il y avait des voisines que Spic reconnut. D'autres lui étaient complètement étrangères.

– Tu vois comme elles sont venues de loin ! s'exclama Mag avec ravissement.

De l'autre côté du lac, ils arrivèrent devant une haute barrière qui formait une vaste clôture circulaire. Quelques mâles rachitiques et amorphes étaient rassemblés près de l'entrée gardée. Ils reculèrent en gémissant devant Mamoune, qui passa au milieu d'eux.

– Reste avec moi, Spic, ordonna Mag en tirant sur la laisse.

Ils pénétrèrent tous les trois à l'intérieur de l'enclos. Dès qu'ils firent leur entrée, un grondement de satisfaction monta de la foule. Mag baissa la tête et sourit timidement.

Le spectacle qui s'offrit à Spic lui parut difficile à croire. Partant de très haut au-dessus de sa tête, il y avait un énorme ensemble de racines qui s'étendait en éventail jusqu'au sol pour former un dôme immense, tout en hauteur. Les harpies se tenaient tout autour, main dans la main, leur peau tatouée baignée par la lumière rose chair de la racine.

– Viens, dit Mamoune en prenant Mag par la main.

– Attendez ! fit l'une des gardes. Cette créature ne peut pas entrer dans le Grand Sanctuaire.

Mamoune remarqua la laisse toujours enroulée autour de l'autre main de Mag.

– Bien sûr que non, dit-elle en prenant la laisse pour l'attacher solidement à un bout de racine. Tu pourras le reprendre plus tard, ajouta-t-elle avant d'émettre un rire de gorge.

Cette fois, Mag ne fit pas un mouvement pour l'arrêter. Elle avança comme en transe à travers le cercle des mains pour s'enfoncer sous le dôme de racines. Elle ne se retourna pas.

Spic regardait par les interstices entre les racines. Tout au centre, il y avait le pivot. Épais et noueux, il brillait plus fort que tout le reste. Mag, sa petite Mag, tournait le dos au pivot central. Elle gardait les yeux fermés. Soudain, toutes les harpies se mirent à psalmodier :

Oh ! Ma-Ma Mère Carnasse !

Oh ! Ma-Ma Mère Carnasse !

Elles crièrent ainsi encore et encore et de plus en plus fort, jusqu'à ce que toute la caverne se mette à vibrer au son du vacarme assourdissant. Spic plaqua ses mains sur ses oreilles. Devant le pivot, Mag avait commencé à s'agiter et se tordre.

Tout à coup, la cacophonie s'interrompit. Le silence fragile semblait trembler. Spic regarda Mag se tourner vers la racine puis lever les bras. Elle leva la tête.

– SAIGNE POUR MOI ! cria-t-elle.

Avant que le son de sa voix se fût estompé, le dôme se modifia brusquement. Les harpies poussèrent une exclamation. Spic fit un bond effrayé en voyant la racine à laquelle il était attaché changer brusquement de couleur. Il regarda autour de lui. L'ensemble du réseau de racines brillait d'un beau rouge vermeil.

– Oui ! s'écria Mamoune. Le temps est venu pour notre fille, Mag.

Elle tira alors un petit objet des plis de sa robe de papier. Spic plissa les yeux pour essayer de voir ce que c'était. On aurait dit un robinet de tonneau. Elle le plaça contre la racine centrale rouge et palpitante et l'introduisit d'un coup de poing dans son logement. Puis, souriant à Mag, elle désigna le sol.

Mag s'agenouilla devant l'orifice, leva la tête et ouvrit grand la bouche. Mamoune tourna la clé, et un flot d'un liquide rouge et mousseux en jaillit instantanément. Il lui aspergea la tête et dévala son dos, ses bras et ses jambes. Spic vit les épaules de Mag se soulever et s'abaisser dans la lumière écarlate.

Elle le boit ! constata-t-il avec un frisson.

Mag but, but et but encore ; elle but tellement que Spic pensa qu'elle allait éclater. Mais elle finit par pousser un profond soupir et laissa tomber sa tête en avant. Mamoune coupa le flot vermeil. Mag se releva en chancelant. Spic poussa une exclamation. La petite fille pâle et mince commençait à enfler.

Plus haut, plus large, tout son corps grandissait à vue d'œil. La petite robe légère qu'elle portait se déchira et tomba par terre – mais Mag grandissait toujours. Épaules massives, biceps impressionnants, jambes pareilles à des troncs d'arbres... et sa tête ! Elle était déjà énorme quand, soudain, ses cheveux – cette masse de cheveux orange vif – dévalèrent son corps jusqu'au sol. La transformation était terminée.

– Bienvenue ! dit Mamoune en enfilant la robe de papier fraîchement peint à la nouvelle harpie de la caverne troglo.

– Bienvenue ! reprit l'ensemble des sœurs harpies.

Mag se retourna lentement, et Spic eut un mouvement de recul. Qu'était devenue la petite fille pâle et fine qui l'avait aimé et s'était occupée de lui ? Disparue. Il y avait à sa place une harpie terrible et effrayante. Une fois tatouée, elle serait le portrait craché de sa mère, Mamoune.

Mag continuait de regarder autour d'elle. Leurs regards se croisèrent. Elle sourit. Spic lui rendit son sourire. Peut-être qu'à l'intérieur, au moins, elle n'avait pas

changé. Elle sortit de sa bouche une grosse langue baveuse qui évoquait une tranche de foie et la passa sur ses lèvres boursouflées. Ses yeux injectés de sang étincelèrent.

– ESPÈCE DE SALE PETITE VERMINE ! hurla-t-elle.

Horrifié, Spic regarda par-dessus son épaule. Ce ne pouvait pas être à lui qu'elle s'adressait. Elle ne parlait pas comme ça à son petit animal, à son « Spic chéri » !

– Mag, cria-t-il. Mag, c'est moi !

– Aaaaargh ! hurla Mamoune. Je savais que c'était un parleur.

– Oui, fit Mag d'une voix glacée. Mais plus pour longtemps.

Spic sentit la terre vibrer sous ses pieds lorsqu'elle avança vers lui. Les doigts tremblants, il essaya de défaire le nœud. En vain. Mamoune l'avait bien trop serré. Spic saisit la corde à deux mains, plaça les deux pieds contre la racine et appuya de tout son poids. Rien ne se passa.

– Tu ne penses quand même pas à t'échapper ? rugit Mag.

Spic déplaça ses mains et recommença.

Il y eut un craquement, et il vola dans les airs. La corde avait tenu, mais pas la racine. Une substance rouge et mousseuse coula de la blessure.

– Ouuuaaaaaargh ! rugit Mag.

Spic tourna les talons et se mit à courir. Il fonça entre deux gardes et se précipita vers le lac. Les troglos mâles regardaient, bouche bée.

– Poussez-vous, cria Spic en les écartant à coups de coude.

Il entendait Mag derrière lui, suivie de près par les autres harpies.

– Arrachez-lui les yeux ! hurlaient-elles. Écartelez-le ! Réduisez-le en bouillie !

Spic arriva au lac. Il se précipita vers la gauche. Un groupe d'une demi-douzaine de troglos se dressait devant lui.

– ARRÊTEZ-LE ! ordonna Mag. ATTRAPEZ-MOI CETTE PETITE SALETÉ !.

Puis, plus fort encore, en voyant qu'ils se contentaient de s'écarter sur le passage de Spic, elle ajouta :

– PAUVRES DÉBILES INCAPABLES !

Spic regarda par-dessus son épaule. Mag gagnait du terrain. Il y avait dans ses yeux injectés de sang une

expression d'extrême détermination. « Oh, Mag ! pensa-t-il. Qu'es-tu devenue ? »

Mag arriva au niveau des troglos mâles. Ils lui jetaient des regards en biais. Tous, sauf un. Au moment où Mag passait devant lui, il tendit la jambe. Mag se prit le pied dedans et trébucha. Elle partit en avant, perdit l'équilibre et s'écroula lourdement par terre.

Spic eut un hoquet de surprise. Ce n'était pas un accident.

Mag se retourna et essaya d'attraper le troglo mâle, mais il se révéla trop agile pour elle. Il bondit, trottina jusqu'à ce qu'il soit hors d'atteinte et leva les yeux. Mettant alors les mains en porte-voix, il lança à l'adresse de Spic :

– Qu'est-ce que tu attends ? Va vers les racines qui brillent le plus. Par là.

Il avait une nuance enjôleuse un peu moqueuse dans la voix.

Spic regarda autour de lui.

– Eh bien ! fit le troglo mâle avec un sourire tordu. Tu veux être écorché vif par ta petite maîtresse ? Suis le vent, petit chéri à sa harpie, et ne te retourne pas.

CHAPITRE 11

Hâbleur, troll jacteuse et charme-cœur

S PIC SE CONFORMA EXACTEMENT AUX INSTRUCTIONS. Sans jamais se retourner, il traversa d'une traite la caverne troglo vers les racines lointaines qui projetaient la lumière la plus vive. Il entendait le pas lourd et le souffle court des harpies furieuses lancées à sa poursuite et qui tantôt le rattrapaient, tantôt perdaient du terrain.

Alors qu'il s'en rapprochait, la tache de lumière se révéla être une masse très serrée de racines d'un blanc lumineux. Par où aller à présent ? Son crâne le grattait, son cœur battait la chamade. Une demi-douzaine de tunnels s'ouvraient devant lui. Lequel le conduirait dehors, en admettant qu'il y en ait un ?

– Il est perdu ! hurla l'une des harpies.

– Coupons-lui la route, lança une autre.

– Coupez-lui plutôt la tête ! rugit une troisième, les faisant toutes éclater d'un rire épouvantable.

Spic était désespéré. Il fallait qu'il se précipite dans un tunnel, mais s'il choisissait un cul-de-sac ? Pendant qu'il s'interrogeait ainsi, les harpies se rapprochaient. Elles pouvaient être sur lui à tout instant. Et alors, il serait trop tard.

Spic frissonna de peur et d'épuisement. Tandis qu'il passait au pas de course devant l'entrée d'un des tunnels, un courant d'air frais lui donna soudain la chair de poule. Bien sûr ! Suis le vent, avait dit le troglo. Sans hésiter, Spic s'engouffra dans le tunnel venteux.

D'abord assez vaste, le tunnel ne tarda pas à se réduire tant en largeur qu'en hauteur. Spic n'en avait cure. Plus il devrait se pencher, moins les énormes harpies pourraient le suivre. Il les entendait toujours, grondant, rugissant et maudissant leur malchance. Tout à coup, le tunnel fit un coude et s'interrompit net.

– Oh, quoi encore ? grogna Spic.

C'était vraiment un cul-de-sac. Il contempla, horrifié, un tas d'ossements blanchis à demi recouverts par la terre et le sable. Il y avait un crâne avec des restes de cheveux nattés et décorés de perles ; un bout de corde entourait encore ce qui restait des os du cou. Un petit chéri qui n'avait pas réussi à s'enfuir.

Juste devant lui, Spic repéra une racine qui s'étirait jusque dans le tunnel. Il tendit la main. Elle était aussi morte que le reste : froide, raide et sans éclat. D'où venait la lumière alors ? Il leva les yeux, et là, très haut au-dessus de lui, il découvrit un petit cercle de lumière argentée.

– Il a trouvé l'un des conduits d'aération, fit la voix furieuse d'une harpie.

– Un peu, que je l'ai trouvé ! marmonna Spic en s'accrochant aux ramifications de la racine.

S'aidant des mains et des pieds, il se hissa vers la lumière. Les bras douloureux et les doigts tremblants, il releva la tête. La lumière ne lui parut pas plus proche. Une vague d'inquiétude le parcourut. Et si le trou n'était pas assez large pour le laisser passer ?

S'accrochant des pieds et des mains, de plus en plus haut, il poursuivit son ascension en s'aidant du souffle et de la voix. Enfin, le rond de lumière parut s'élargir. Gravissant les derniers mètres de racine aussi vite qu'il l'osait – il y avait loin jusqu'aux ossements, tout en bas du conduit –, Spic tendit les bras dans la chaude lumière du soleil.

– Le ciel en soit remercié, il fait jour, fit-il avec un soupir en se hissant sur l'herbe pour se laisser rouler dessus. Sinon, je n'aurais jamais pu trouver la sor...

Spic se tut. Il n'était pas seul. Il entendit une respiration rauque, un grondement, il sentit l'odeur écœurante de la décomposition. Lentement, il leva la tête.

Des langues pendantes et des naseaux noirs et dilatés. Des babines retroussées sur des dents acérées, découvertes, étincelantes, dégoulinantes. Des yeux jaunes qui le contemplaient, qui le jaugeaient.

– D-d-des l-l-loups des bois, bredouilla-t-il.

La touffe de poils d'un blanc de neige qui entourait leur cou se hérissa au son de sa voix. Spic déglutit. C'étaient des loups des bois dits à col blanc, les pires, et il y en avait toute une meute. Spic recula, centimètre par centimètre, vers le conduit d'aération. Trop tard. Les loups remarquèrent son manège et poussèrent un hurlement terrifiant. La mâchoire grande ouverte, les crocs baveux, le loup le plus proche bondit en direction de sa gorge.

– Aaaaargh ! glapit Spic.

Les pattes tendues de la bête lui heurtèrent la poitrine. Ils basculèrent tous deux en arrière et atterrirent lourdement sur le sol.

Spic garda les yeux résolument fermés. Il respira l'haleine chaude et putride sur son visage tandis que

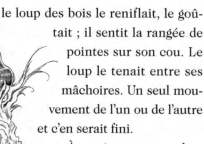

le loup des bois le reniflait, le goû-
tait ; il sentit la rangée de
pointes sur son cou. Le
loup le tenait entre ses
mâchoires. Un seul mou-
vement de l'un ou de l'autre
et c'en serait fini.

À cet instant, par-des-
sus les martèlements de son
cœur, Spic enten-
dit une voix.

– Qu'est-ce
qui se passe, ici ?
Qu'est-ce que vous
avez trouvé, mes agneaux, hein ? De quoi remplir la
marmite ?

Les loups des bois grondèrent goulûment, et Spic
sentit les crocs s'enfoncer nettement dans sa chair.

– Lâche ça ! ordonna la voix. Furtif ! Lâche ça,
j'ai dit !

Les dents s'écartèrent. L'haleine fétide s'éloigna. Spic
ouvrit les yeux. Une créature qui évoquait un elfe trapu
armé d'un grand fouet se tenait devant lui et le foudroyait
du regard.

– Ami ou à manger ? questionna-t-elle.

– A… a… ami, bégaya Spic.

– Relève-toi, ami, dit l'inconnu.

Les loups s'agitèrent en voyant Spic se relever.

– Ils ne te feront pas de mal, assura l'inconnu,
conscient de l'inquiétude de Spic. Tant que je ne leur
ordonnerai pas de t'en faire, ajouta-t-il en ricanant.

– Vous ne feriez pas ça, protesta Spic. S-si ?

– Ça dépend, fut la réponse.

Les loups des bois se mirent à aller et venir en se léchant les babines et en poussant de petits cris excités.

– Nous, le petit peuple, nous devons rester sur nos gardes. Étranger égale danger, telle est ma devise. On n'est jamais trop prudent dans les Grands Bois, ajouta-t-il en toisant Spic. Remarque, tu n'as pas l'air d'un bien grand danger, fit-il en s'essuyant vigoureusement la main sur son pantalon avant de la tendre en avant.

Mon nom c'est Hâbleur, se présenta-t-il. Hâbleur le Chasseur, et voici ma meute.

L'un des loups des bois gronda, et Hâbleur lui donna un méchant coup de pied.

Spic prit la main qu'on lui tendait. Tout autour d'eux, les loups n'en pouvaient plus de baver et de s'exciter. Hâbleur s'interrompit en pleine poignée de main pour retirer la sienne et l'examiner.

– Du sang, commenta-t-il. Pas étonnant que mes garçons t'aient trouvé. Cette odeur les rend complètement dingues.

Il s'accroupit et s'essuya soigneusement la main sur l'herbe pour en faire disparaître la moindre trace sanglante.

– Alors, qu'est-ce que tu es exactement ? demanda-t-il.

– Je suis... commença Spic, puis il s'interrompit.

Il n'était pas vraiment un troll des bois. Mais quoi, alors ?

– Je suis Spic, répondit-il simplement.

– Un spic ? Jamais entendu parler. Tu ressembles un peu à un oreillard ou à un gaffeur. Mais même moi, j'ai du mal à les différencier. Pourtant ils atteignent un bon prix. Les pirates du ciel recherchent toujours les gobelins des tribus les plus sauvages. Ils font de bons combattants ; même s'ils sont un peu difficiles à contrôler... Les spics sont-ils de bons combattants ?

– Pas vraiment, répondit Spic en sautillant, mal à l'aise, d'un pied sur l'autre.

– Je ne pourrais pas te vendre bien cher, de toute façon, commenta Hâbleur avec un reniflement méprisant. Tu es vraiment trop maigrichon. Quoique... tu ferais peut-être un cuistot acceptable. Tu sais cuisiner ?

– Pas vraiment, répondit de nouveau Spic.

Il examina sa main. Il avait une coupure au petit doigt, mais rien de bien méchant.

– C'est bien ma veine, commenta le petit bonhomme. J'étais sur la piste d'un gros bout-de-crâne – j'aurais pu en tirer une belle somme, je peux te le dire – et qu'est-ce qui arrive ? Il va se fourrer directement dans la gueule d'un carnasse et voilà, terminé pour lui. Un beau gâchis. Et puis voilà que les garçons flairent ta piste. Et franchement, ça ne valait pas le déplacement, fit-il en crachant par terre.

C'est à ce moment que Spic remarqua les vêtements de Hâbleur le Chasseur. Impossible de confondre cette fourrure sombre avec aucune autre. Combien de fois n'en avait-il pas caressé une exactement semblable : lisse, douce et teintée de vert.

– Ours bandar, souffla Spic alors que son sang commençait à bouillir.

Le déplaisant petit elfe portait la dépouille d'un ours bandar.

Hâbleur était plus petit que Spic, beaucoup plus petit. En combat régulier, Spic était certain de pouvoir le battre facilement. Mais, comme le cercle des yeux jaunes le fixait sans ciller, Spic dut ravaler son indignation.

– Bon, je peux pas rester là à causer toute la journée, fit Hâbleur. J'ai des choses sérieuses à faire, moi. J'ai pas de temps à perdre avec du gibier à loup dans ton genre. Je m'occuperais de cette main, si j'étais toi. Tu auras peut-être moins de chance la prochaine fois. Allez, mes mignons !

Alors, entouré de sa meute hurlante, Hâbleur tourna les talons et disparut sous les arbres.

Spic tomba à genoux. Il était de retour dans les Grands Bois, mais il n'avait plus l'ours bandar pour le protéger. Plus de gentil ours bandar solitaire, plus que des loups, des chasseurs, des bouts-de-crâne, des gaffeurs et des...

– Pourquoi ? gémit-il. Pourquoi tout ça ?

– Parce que, répondit une voix – une voix douce et gentille.

Spic leva les yeux et étouffa une exclamation d'horreur. La créature qui venait de parler ne paraissait ni douce ni gentille. En fait, elle était monstrueuse.

– Alors, qu'est-ce qui t'amène... Slurp... de ce côté-ci des... Slurp... Grands Bois ? demanda-t-elle.

– Je me suis perdu, répondit Spic, gardant la tête baissée.

– Perdu ? Mais non... Slurp... tu es ici ! s'esclaffa-t-elle.

Spic déglutit nerveusement. Il releva la tête.

– Voilà qui est mieux... Slurp... et maintenant, pourquoi ne me raconterais-tu pas tout depuis le commencement ? Les trolls jacteurs savent très bien... Slurp... écouter, assura-t-elle en faisant claquer ses immenses oreilles pareilles à des ailes de chauve-souris.

La lumière dorée de cette fin d'après-midi brillait à travers la membrane rose de ses oreilles, mettant en relief le réseau délicat de ses vaisseaux sanguins. Il faisait luire son visage graisseux et se reflétait sur ses yeux pédonculés. C'étaient ces pédoncules – longs, épais, élastiques, qui tantôt s'allongeaient, tantôt se contractaient, et qui étaient chacun surmonté par une sphère verte et globuleuse – qui avaient tant troublé Spic. Il se sentait encore l'estomac retourné, mais ne pouvait en détourner le regard.

– Alors ? demanda la troll jacteuse.

– Je...

– Slurp !

Spic frissonna. Chaque fois que la longue langue jaune jaillissait pour lécher et humidifier l'un ou l'autre des yeux verts dépourvus de paupière, il oubliait ce qu'il allait dire. Les pédoncules s'étirèrent vers lui et les deux yeux l'examinèrent des deux côtés à la fois.

– Ce qu'il te faut, mon cher, déclara enfin la troll jacteuse, c'est une bonne tasse de... Slurp... tisane de pomme de chêne. Pour passer le temps.

Ils marchèrent côte à côte, dans la lumière orangée déclinante, et la troll jacteuse parlait. Elle parla, parla et parla encore. Et à mesure qu'elle parlait de sa voix douce et modulée, Spic finit par oublier ses oreilles, ses yeux et même sa longue langue baveuse.

– On ne m'a jamais acceptée, tu comprends, expliquait-elle.

Spic ne comprenait que trop bien.

– Bien sûr, les trolls jacteurs approvisionnent les autres en fruits et en légumes depuis des générations, poursuivit-elle. On cultive les produits et on les vend sur tous les marchés. Pourtant, je savais... – Elle s'interrompit – Alors je me suis dit : Jacta, ma fille, tu n'es tout simplement pas faite pour cette vie de boniments et de marchandages. Un point c'est tout.

Ils émergèrent dans une clairière baignée par la lueur rougeoyante du couchant. Les derniers rayons du soleil se réverbéraient sur quelque chose de rond et de métallique. Spic scruta l'ombre. Une sorte de petit chariot était dissimulé derrière les branches tombantes d'un saule-gouttes. La troll jacteuse se dirigea droit dessus. Spic la regarda prendre une lanterne pour la suspendre à une branche.

– Histoire de jeter un peu de lumière sur tout ça, fit-elle en gloussant, avant de tirer le chariot hors de sa cachette.

Spic la regardait faire quand, soudain, le chariot disparut. Il secoua la tête. Le chariot réapparut.

– Malin, n'est-ce pas ? fit la jacteuse. J'ai passé un temps infini à concocter mes mélanges de peinture.

Spic hocha la tête. Depuis les roues fixées sous le cadre de bois jusqu'à la peau tannée tendue sur les arceaux en une couverture imperméable, chaque centimètre carré du chariot avait été barbouillé de diverses nuances de vert et de brun. Cela donnait un camouflage parfait pour la forêt. Les yeux de Spic repérèrent alors des lettres sur le flanc du chariot : de curieuses lettres arrondies qui ressemblaient à des feuilles tortillées.

– Oui, c'est moi, fit la jacteuse donnant un coup de langue sur ses yeux. Jactara troll jacteuse. Apothicaire et Sage. Et maintenant, occupons-nous de cette tisane, d'accord ?

Elle franchit d'un bond les marches du chariot et disparut à l'intérieur. Spic, resté dehors, la regarda mettre une bouilloire sur le réchaud et placer une cuillerée de flocons orangés dans une théière.

– Je t'inviterais bien à entrer... dit-elle en levant les yeux. Mais, bon...

Elle fit un vaste mouvement de la main pour montrer le fouillis à l'intérieur du chariot. Il y avait des bouteilles et des flacons remplis d'un liquide ambré et d'entrailles de petits animaux, il y avait des boîtes et des caisses pleines de graines et de feuilles, et des sacs de noix qui se déversaient sur le sol. Il y avait des pinces et des scalpels, des blocs de cristal, une balance, des feuilles de papier et des rouleaux d'écorce. Des bouquets d'herbes et de fleurs séchées pendaient à des crochets ainsi que des chapelets de limaces séchées et tout un assortiment d'animaux morts : rats sylvestres, campagnols du chêne, kéçakos, qui tous se balançaient lentement tandis que la jacteuse s'affairait.

Spic attendit patiemment. La lune se leva et s'évanouit rapidement derrière une grosse masse de nuages noirs. La clarté de la lampe parut alors plus vive. À côté d'une grosse souche, Spic remarqua une forme de cœur gravée dans la poussière. Un bâton était posé en travers.

– Voilà, très cher, annonça Jacta en sortant, une tasse fumante dans chaque main et une boîte en fer coincée sous le bras.

Elle disposa le tout sur la souche.

– Prends un palet aux graines, proposa-t-elle. Je vais juste chercher de quoi poser nos fesses.

Elle décrocha deux autres rondins de dessous le chariot. Ils étaient, comme tout le reste, si bien camouflés

que Spic ne les avait pas remarqués. Elle s'assit lourdement.

– Mais assez parlé de moi, décida-t-elle. Je pourrais
raconter indéfiniment mon existence dans les Grands
Bois, à voyager de-ci, de-là, toujours sur la route, à préparer cataplasmes et potions, à aider dès que c'est possible…
comment est la tisane ?

Spic se prépara à faire la grimace, et goûta.

– C'est… délicieux, dit-il, surpris.

– Peau de pomme de chêne, annonça-t-elle.
C'est bon pour les ongles, bon pour le cœur, et excellent
pour… (elle toussa et ses yeux parurent jaillir de
leurs pédoncules) pour donner de la régularité, si tu vois
ce que je veux dire. Et, prise avec du miel – comme
c'est le cas ici –, c'est un remède infaillible contre les
vertiges. Je ne voudrais pas me vanter, dit-elle en se penchant vers Spic et en baissant la voix, mais j'en connais
beaucoup plus que la plupart sur ce qui vit et pousse dans
la forêt.

Spic ne dit rien. Il pensait à l'ours bandar.

– Je comprends les propriétés de chaque chose. Pour
mon malheur, ajouta-t-elle avec un soupir.

Elle sirota sa tisane. Ses yeux pédonculés cherchaient autour d'elle. L'un d'eux s'arrêta sur le bâton qui
gisait en travers du cœur.

– Prends ça par exemple. Qu'est-ce que c'est, d'après
toi ?

– Un bâton ?

– C'est un charme-cœur. Il me montre le chemin que
je dois suivre, expliqua-t-elle en scrutant le ciel. Nous
avons encore un peu de temps… je vais te faire une petite
démonstration.

Elle maintint d'un doigt le bâton bien droit au milieu du cœur. Puis elle ferma les yeux et chuchota :

– Cœur, conduis-moi où tu voudras.

Et elle leva le doigt. Le bâton tomba.

– Mais il est tombé exactement dans la même position que tout à l'heure, commenta Spic.

– Naturellement, répliqua la jacteuse. Car c'est là que me conduit mon destin.

Spic sauta sur ses pieds et ramassa le bâton.

– Je peux essayer ? demanda-t-il avec excitation.

La troll jacteuse secoua la tête et ses yeux s'agitèrent doucement.

– Il faut que tu te trouves ton propre bâton...

Spic fonça vers les arbres. Le premier qu'il trouva était trop grand ; le second trop raide. Le troisième était parfait. Il y grimpa et en cassa une petite branche dont il retira les feuilles et l'écorce pour qu'il ressemble à l'autre. Alors, il sauta au bas de l'arbre.

– Aaaargh ! cria-t-il alors que quelque chose – une bête noire, féroce et écumante – le projetait au sol et l'y maintenait.

La silhouette de deux épaules massives clignota à la lueur de la lampe. Des yeux jaunes étincelèrent. Des mâchoires s'ouvrirent et...

La bête hurla de douleur.

– Karg ! cria la jacteuse en abattant pour la seconde fois son bâton sur le nez de l'animal.

– Combien de fois faudra-t-il que je te le répète ? Seulement des cadavres ! Maintenant, prends ta nourriture et mets-toi au chariot. Dépêche-toi. Tu es en retard !

La bête lâcha à contrecœur les épaules de Spic. Elle se détourna, plongea les crocs dans le cadavre d'un tilde qui gisait près de l'arbre et le tira docilement vers la clairière.

La troll jacteuse aida Spic à se relever.

– Rien de cassé, commenta-t-elle en l'examinant. Sous-estimé, le rôdailleur, ajouta-t-elle en lui montrant son agresseur d'un signe de tête. Loyal... le plus souvent. Intelligent... très. Et plus fort qu'un bœuf. Et en plus, en tant que propriétaire, on n'a même pas à se préoccuper de sa nourriture. Il s'en charge tout seul. Si j'arrivais juste à le convaincre de s'en tenir aux animaux déjà morts, ce serait parfait. Je ne peux quand même pas le laisser manger mes clients, plaisanta-t-elle, les yeux bondissant. C'est mauvais pour les affaires !

Dans la clairière, le rôdailleur s'était placé entre les brancards du chariot et finissait de manger le reste de la carcasse de tilde. La troll jacteuse glissa un harnais par-dessus sa tête, lui passa une sangle sous le ventre et fixa les courroies.

Spic resta de côté à observer, son bâton à la main.

– Tu ne vas pas partir, si ? demanda-t-il en la regardant fourrer les souches et le service à tisane à l'arrière du chariot. Je pensais...

– J'attendais juste que Karg ait fini de manger et de boire, expliqua-t-elle en se hissant sur le siège du cocher. Bon, maintenant, fit-elle en prenant les rênes, j'ai bien peur que... des endroits où aller, des gens à soigner...

– Mais qu'est-ce que je deviens, moi ? dit Spic.

– Je voyage toujours seule, fit la troll jacteuse d'un ton sans réplique.

Puis elle tira sur les rênes et partit.

Spic regarda la lampe se balancer sur le chariot qui s'éloignait en bringuebalant. Avant de se retrouver plongé de nouveau dans l'obscurité, il dressa son bâton au centre du cœur. Ses doigts tremblaient pour le maintenir en place. Il ferma les yeux et murmura :

– Cœur, conduis-moi où tu voudras.

Puis il rouvrit les yeux. Le bâton était toujours debout.

Il réessaya. Le doigt posé sur le bâton. La formule récitée. Le doigt levé. Mais le bâton refusait de tomber.

– Hé ! cria Spic. Le bâton reste piqué dans le sol ! Pourquoi est-ce qu'il ne tombe pas ?

La troll jacteuse se pencha à l'extérieur du chariot, ses yeux pédonculés brillant à la lueur de la lampe.

– Je n'en ai pas la moindre idée, très cher, répondit-elle avant de disparaître.

– Tu parles d'une sage ! marmonna Spic avec colère en envoyant d'un coup de pied son bâton se perdre dans le sous-bois.

La lampe vacillante s'évanouit tout à fait. Spic tourna les talons et prit la direction opposée. Maudissant sa malchance, il s'éloigna en trébuchant dans l'obscurité. Personne ne reste jamais. Tout le monde s'en moque. Et tout est de ma faute. Je n'aurais jamais, au grand jamais, dû m'écarter du sentier.

CHAPITRE 12

Les pirates du ciel

TRÈS LOIN AU-DESSUS DE SPIC, LES NUAGES SE RARÉFIÈRENT. Ils tournoyèrent et se tortillèrent autour de la lune comme un plein seau d'asticots.

Spic leva les yeux, à la fois fasciné et horrifié : il se passait tant de choses là-haut alors que tout était si tranquille en bas. Pas une feuille ne remuait. L'air était lourd, comme chargé.

Tout à coup, un éclair de lumière d'un blanc bleuté zébra les confins du ciel. Spic compta. Il arrivait à onze quand un gros coup de tonnerre éclata. De nouveau le ciel s'illumina, plus brillamment encore qu'auparavant : de nouveau, le tonnerre éclata. Cette fois, Spic n'eut le temps de compter que jusqu'à huit. L'orage se rapprochait.

Spic se mit à courir. Glissant, trébuchant, tombant parfois, il fila à travers les sous-bois semés d'embûches – tantôt éclairés comme en plein jour, tantôt noirs comme de l'encre. Un vent s'était levé, sec et électrique. Il lui ébouriffa les cheveux et redressa les poils de son gilet en peau de hammel à cornes.

Chaque éclair lui laissait une lueur rosée dans les yeux, donnant à l'obscurité qui suivit un aspect plus dense encore. Spic vacilla tel un aveugle. Le vent le poussait par-derrière. Il y eut un craquement juste au-dessus de sa tête, et une ligne brisée d'une brillance absolue déchira le ciel. Le tonnerre frappa aussitôt avec un C-R-R-R-R-R-R-R-ACH ! immense. L'air vibra. La terre trembla. Spic s'écroula et se protégea la tête avec ses bras.

– Il va t... tomber, bredouilla-t-il. La ciel va nous tomber dessus.

Un deuxième mélange aveuglant et assourdissant de tonnerre et d'éclairs secoua la forêt. Puis un troisième. Et un quatrième. Mais l'espace entre éclair et tonnerre s'allongeait de nouveau. Spic se releva en vacillant. La forêt, à un moment éclairée comme une tribu de squelettes en pleine danse, puis plongée dans les ténèbres les plus complètes, était toujours debout, et le ciel était toujours au-dessus de sa tête.

Il entreprit l'ascension d'un très haut et très vénérable ricanier pour regarder l'orage s'éloigner. Il grimpait de plus en plus haut. Un vent tourbillonnant le tirait par les pieds et les mains. Tout en haut, le souffle court, il s'installa sur une fourche qui oscillait doucement. Il y avait une odeur de pluie, mais il ne pleuvait pas. Les éclairs frappaient, le ciel rougeoyait, le tonnerre roulait. Brusquement, le vent tomba.

Spic s'essuya les yeux et, avec ses doigts en guise de peigne, défit les dernières perles qui ornaient sa tête et les regarda rebondir et disparaître sous lui. Alors, il releva la tête, et là, pendant une fraction de seconde, profilé sur le ciel illuminé...

Le cœur de Spic manqua un battement.

– Un navire du ciel, murmura-t-il.

La clarté de l'éclair se dissipa. Le bateau disparut. Un autre éclair, et le ciel s'illumina de nouveau.

– Mais il est dans l'autre sens, remarqua Spic avant que le ciel ne s'illumine de nouveau. Il tourne, constata-t-il. Il est pris dans un tourbillon.

Et en effet, le bateau tournoyait, de plus en plus vite. Si vite que Spic en fut étourdi. La grand-voile battait follement. Le gréement frappait l'air. Impuissant, incontrôlé, le navire du ciel était irrésistiblement attiré vers le cœur du vortex.

Soudain, un éclair solitaire jaillit du nuage. Il fonça vers le navire tourbillonnant et l'atteignit de plein fouet. Le bateau roula de côté. Quelque chose de petit, de rond et de clignotant comme une étoile tomba par-dessus bord et se précipita vers la forêt en dessous. Le navire du ciel tournoya à sa suite.

Spic en eut le souffle coupé. Le navire du ciel tombait comme une pierre.

L'obscurité revint. Spic mordilla ses cheveux, ses ongles, son foulard. L'obscurité s'attarda.

– Encore un éclair, supplia Spic. Juste pour que je puisse voir...

L'éclair survint, éclairant une longue bande de terrain en direction de l'horizon. Dans la pénombre, Spic aperçut trois créatures semblables à des chauves-souris planant au-dessus du navire en perdition. Pendant qu'il regardait, trois... quatre autres créatures se joignirent aux premières, chacune paraissant s'élancer du pont pour se laisser porter par le vent descendant. Les pirates du ciel abandonnaient le navire. Une huitième silhouette se sauva juste avant que le navire du ciel ne s'écrase sur la voûte de feuillage.

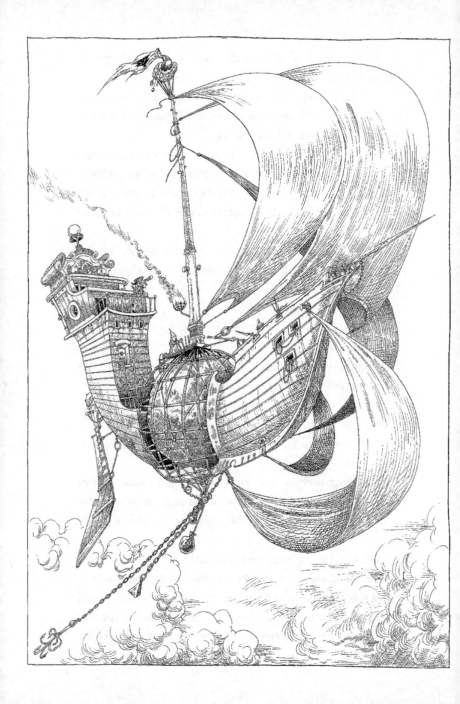

Spic s'agita. L'équipage tout entier avait-il réussi à fuir à temps ? Le navire du ciel était-il totalement détruit ? Les silhouettes ailées avaient-elles pu se poser sans dommage ?

Il descendit presque en volant de son arbre et courut à travers bois aussi vite que ses jambes le lui permettaient. La lune brillait à présent, haute et claire dans le ciel, et les animaux de la nuit avaient tous recouvré leur voix. Les arbres, emprisonnés dans leur ombre, semblaient pris dans d'immenses filets. À l'exception de quelques branches tombées et d'un parfum de bois vert moisissant, il n'y avait plus aucune trace de l'orage. Spic courut jusqu'à ce que ses forces l'abandonnent.

Il se retrouva plié en deux par un point de côté, cherchant l'air à pleine bouche. Les oiseaux de lune jacassaient bruyamment sur leurs perchoirs, au-dessus de lui. Puis Spic perçut un autre bruit. Comme un sifflement. Un crachotement. Il se dirigea vers le bruit. Cela semblait venir d'un bosquet de peignées, juste devant. Il écarta les branches, et fut immédiatement saisi par un souffle d'une chaleur intense.

À demi enfoui dans le sol gisait un énorme rocher rond, chauffé à blanc. L'herbe avait grillé tout autour, les branchages alentour étaient tous calcinés. Spic plissa les yeux pour s'abriter de l'éclat et de la chaleur du rocher. Pouvait-il s'agir de l'étoile qu'il avait vue tomber du navire ? Il regarda autour de lui. Le bateau et son équipage ne pouvaient être loin.

Quelque chose énervait les oiseaux de lune et les faisait piailler. Spic claqua dans ses mains et ils s'envolèrent. Dans le silence qui s'ensuivit, il entendit un bruit de voix étouffées.

Il s'avança tout doucement. Les voix se firent plus distinctes. Il aperçut un grand type massif, doté d'une figure rougeaude et d'une grosse barbe emmêlée, et se dissimula derrière une branche tombée. C'était un pirate du ciel.

– On ferait mieux de retrouver les autres, disait-il d'une voix profonde et grasseyante. La tête qu'a fait Slyvo quand on a sauté, ajouta-t-il en ricanant. Il était blanc comme un linge et n'avait pas l'air dans son assiette.

– Il mijotait quelque chose, répliqua une petite voix. Rien de bon, à mon avis.

Spic essaya de voir qui venait de parler.

– T'as pas tort, Lapointe, fit le pirate barbu d'un ton bourru. Il a quelque chose qui va pas depuis cette histoire avec le bois de fer. En fait, cette tempête électrique, c'était une vraie bénédiction, foi de Tom Gueulardeau. J'espère seulement que le capitaine va bien, reprit-il après un silence.

– Le ciel t'entende, répondit l'autre.

Spic se tendit de nouveau, mais sans parvenir à voir l'autre pirate. Il grimpa sur une branche pour avoir un meilleur aperçu quand – CRAC – le bois céda sous son poids.

– Qu'est-ce que c'est ? vociféra Tom Gueulardeau, qui fit volte-face et scruta les ombres argentées.

– Sûrement un animal, répondit le deuxième pirate.

– Je n'en suis pas si sûr, fit lentement Tom Gueulardeau.

Spic s'aplatit. Il entendit qu'on s'approchait sur la pointe des pieds et leva les yeux. Il se retrouva alors nez à nez avec un personnage au visage large mais délicat, guère plus vieux que lui-même. Apparemment un elfe des chênes. Il devait s'agir de Lapointe.

L'elfe des chênes dévisagea Spic, une expression étonnée sur les traits. Il finit par demander :

– Est-ce que je te connais ?

– T'as trouvé quelque chose ? lança Tom Gueulardeau.

Lapointe continuait d'examiner Spic. Ses oreilles duveteuses remuèrent.

– Oui, répondit-il douce- ment.

– Quoi ?

– J'ai dit oui ! répétat-il d'une voix plus forte en poussant Spic par l'épaule.

Le gilet en peau de hammel se hérissa aussitôt, piquant la main de l'elfe. Il poussa une exclamation, s'écarta et se suça les doigts sans cesser de jeter un regard soup- çonneux sur Spic.

– Suis-moi, commanda-t-il.

– Qu'est-ce que c'est alors ? fit Tom Gueulardeau au moment où Lapointe et Spic surgissaient devant lui. Un drôle de petit costaud, pas vrai ? commenta-t-il en prenant le bras mince de Spic entre son pouce et son index. Qui es-tu, mon garçon ?

– Spic, monsieur.

– Une nouvelle recrue à bord, c'est ça ? dit le pirate en adressant un clin d'œil à Lapointe.

Spic sentit un frisson d'excitation le parcourir.

– S'il reste encore un « à bord » quelque part, commenta l'elfe.

– Évidemment qu'il en reste un ! répliqua Gueulardeau avec un éclat de rire. Suffit de trouver où il est.

Spic se racla la gorge.

– Je crois que c'est par là, dit-il en montrant sa droite.

Tom Gueulardeau se retourna et se pencha pour mettre sa grosse tête rousse et hirsute tout contre celle de Spic.

– Et comment tu le sais ?

– Je… je l'ai vu s'écraser, répondit Spic, hésitant.

– Tu l'as vu ? s'exclama le pirate.

– J'étais monté sur un arbre. Pour regarder l'orage. Et puis j'ai vu le navire du ciel pris dans un tourbillon.

– Tu l'as vu, répéta Gueulardeau d'une voix radoucie. Eh bien, reprit-il en frappant dans ses mains, tu ferais mieux de nous conduire là-bas tout de suite, Spic, vieille branche.

Guidé par un mélange de chance et de déduction, Spic les conduisit. Ils n'avaient pas fait cent pas que Tom Gueulardeau repérait la coque, brillant au clair de lune tout en haut des branchages.

– Le voilà, murmura-t-il. C'est le Chasseur de tempête. Bravo, mon garçon, dit-il à Spic en lui donnant une grande claque sur l'épaule.

– Chut ! souffla Lapointe. On n'est pas les premiers.

Tom pencha la tête de côté.

– C'est ce gredin de maître de manœuvres, Slyvo Split, marmonna-t-il.

Lapointe porta un doigt à ses lèvres et tous trois se figèrent, tendant l'oreille pour saisir la conversation murmurée.

– On dirait bien, mon cher Jobard, que notre capitaine est complètement dépassé, disait Slyvo.

Il avait une voix nasillarde et une diction soignée, crachant ses b et ses t comme autant de sons méprisables.

– Dépassé ! fit un écho bourru et étouffé.

Tom Gueulardeau s'agitait de plus en plus. Son teint prenait une nuance foncée qui n'annonçait rien de bon ; il tendit le cou.

– Le pilote de pierres est avec eux, chuchotat-il.

Spic glissa un coup d'œil entre les feuilles.

Il y avait en effet trois pirates. Jobard était un gobelin à tête plate. Avec son crâne large et aplati et ses grandes oreilles, il était tout à fait représentatif de son espèce, mais en beaucoup plus féroce que le gobelin à tête plate qui avait sauvé Spic du marécage. Derrière lui, il y avait un être trapu vêtu d'un gros pardessus et de lourdes bottes. Il avait la tête dissimulée sous une grande capuche en pointe qui lui retombait sur la poitrine. Deux espèces de hublots en verre lui permettaient de voir. Il ne parlait pas. Le troisième pirate n'était autre que Slyvo lui-même, longue silhouette voûtée, tout en angles et en piques. Il avait le nez long, le menton aigu et des yeux fuyants sans cesse en mouvement derrière ses lunettes cerclées d'acier.

– Bref, loin de moi l'idée d'affirmer que je l'avais bien dit, poursuivit-il, mais... enfin... si nous avions laissé le bois de fer, comme je l'avais suggéré... de toute façon, les cours dégringolent en ce moment. Si nous l'avions laissé, reprit-il après un silence suivi d'un soupir, nous ne nous serions jamais approchés de cette tempête.

– Approchés de cette tempête, répéta Jobard.

– Mais qui suis-je pour discuter le destin ? Si le commandement de ce navire devait m'échoir, il me faudrait accepter cette charge avec...

Il chercha le mot juste. Jobard essaya de l'aider :

– Cette charge avec...

– Oh, mais arrête de m'interrompre ! coupa Slyvo. Tu es courageux au combat, Jobard, ne te méprends pas ; tu fais honneur aux tiens. Mais tu manques du sens de l'à-propos.

– À propos, répéta Jobard.

Slyvo poussa un grognement d'impatience.

– Allons, viens, dit-il. Allons annoncer la bonne nouvelle aux autres.

Tom ne put se retenir plus longtemps.

– Espèce de sale traître ! rugit-il en jaillissant des fourrés.

Le pilote de pierres, Jobard et Slyvo se retournèrent tous ensemble.

– Mon cher Tom ! s'exclama Slyvo, sa déception se muant aussitôt en un sourire crispé. Et Lapointe aussi. Vous vous en êtes sortis.

Spic resta caché en arrière. Il observait et écoutait.

– Il faut lui passer les chaînes, décréta Tom en désignant le gobelin à tête plate. Ordre du capitaine.

Slyvo baissa la tête avec une gêne feinte et tripota l'un des nœuds de sa moustache.

– Le fait est, geignit-il en regardant Tom par-dessus ses lunettes, comme je le disais tout juste à Jobard, notre illustre capitaine, Quintinius Verginix, est... (il s'interrompit d'un air théâtral) absent. Et Jobard, ici présent, ajouta-t-il avec un sourire affecté, apprécie tant sa liberté.

Tom grogna. Pour le moment du moins, il ne pouvait strictement rien faire.

– Dans quel état est le bateau ? s'enquit-il.

– Ohé, Strope ! appela Slyvo en levant la tête. Comment ça va, là-haut ?

– Ça va, fit une voix qui émettait des couinements. Surtout des dommages superficiels. Le gouvernail en a pris un coup. Mais c'est réparable.

– Est-ce qu'il pourra bientôt voler ? questionna Slyvo avec impatience.

Une tête émergea du feuillage. Une tête ronde et dure s'il en fut, au crâne cerclé de métal pour maintenir une mâchoire vissée en place.

– Il ne pourra voler que quand on aura remis la roche de vol, répondit-il.

Slyvo fit la grimace et piétina le sol avec emportement.

– Tu ne peux pas improviser ? Du ricanier, du carnasse – ça monte, ça. Brûle juste davantage…

Strope Dendacier secoua la tête.

– Ttt, tt ! On peut pas faire ça, dit-il. On ne pourrait jamais contenir le feu qu'il faudrait pour monter suffisamment, et puis…

– Il doit bien y avoir quelque chose que tu puisses faire, non ? hurla Slyvo. Je ne comprends toujours pas pourquoi ce fichu rocher est tombé au départ.

– C'est parce qu'il a été frappé par un éclair, expliqua Strope.

– Je sais cela, espèce d'idiot ! coupa Slyvo. Mais…

– Les roches froides montent, les roches chaudes tombent, continua patiemment Strope Dendacier. C'est un fait scientifique. Et je peux t'en donner un autre, fait scientifique : ce qui chauffe en l'air, refroidit en bas. Si vous ne retrouvez pas la roche de vol au plus tôt, le bateau sera perdu à tout jamais. Et maintenant, si vous voulez bien m'excuser, j'ai des réparations à faire sur la nacelle – au cas où vous retrouveriez la roche.

Et la tête disparut derrière les feuillages.

Slyvo se mordit la lèvre. Le sang s'était retiré de son visage.

– Vous avez entendu, aboya-t-il. TROUVEZ-MOI LA ROCHE DE VOL !

Lapointe et Jobard partirent en courant. Le pilote de pierres les suivit d'un pas lourd. Tom Gueulardeau ne fit pas un mouvement.

– Eh bien ? demanda Slyvo.

– Je pourrais peut-être te dire où se trouve la roche. Mais à une condition. Même quand elle aura repris sa place, on attendra le capitaine.

– Oh, mais bien sûr, assura Slyvo. Je t'en donne ma parole.

Il saisit la main de Tom et la secoua.

De sa cachette, dans le sous-bois, Spic vit l'autre bras du quartier-maître passer derrière son dos. Il lui manquait deux doigts à la main, et ses cicatrices paraissaient récentes. Il croisait les deux doigts restants.

– Je vais y veiller, fit Tom avec un hochement de tête. Spic ! appela-t-il ensuite en se tournant vers les fourrés. Tu es toujours là, mon garçon ? Approche, que je te voie.

Spic se releva et s'avança.

– Un espion ! siffla Slyvo.

– Un témoin de ta promesse, corrigea Tom. Sais-tu, demanda-t-il à Spic, où la roche de vol a atterri ?

Spic hésita. Il leva les yeux vers Slyvo Split.

– Il n'y a pas de problème, le rassura Tom.

– Alors oui, je sais, reconnut-il. Je l'ai vue. On aurait dit une comète, ou plutôt une étoile filante. Enfin, une étoile qui tombait…

– Au fait ! coupa sèchement Slyvo.

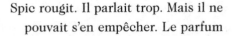

Spic rougit. Il parlait trop. Mais il ne pouvait s'en empêcher. Le parfum d'aventure qui se dégageait de ces pirates du ciel rudes et dépenaillés lui faisait battre le cœur plus vite et lui déliait la langue. Il se détourna du regard trop scrutateur de Slyvo et se mit en marche.

– Par ici, indiqua-t-il.

– Hé ! vous trois, lança Slyvo Split à l'adresse de Lapointe, Jobard et du pilote de pierres. Suivez-nous.

Spic conduisit son ramassis de pirates à travers bois. Le chemin lui paraissait familier à la lueur vacillante de la lampe. Il entendit avant de le voir le bosquet de peignées bourdonnant. Il se dirigea droit vers lui et en écarta les branches. La pierre était toujours là, à demi enterrée. Il en émanait une clarté d'un jaune crémeux.

– Elle était blanche, tout à l'heure, dit Spic.

– C'est parce qu'elle refroidit, expliqua Tom. Pour la rapporter au bateau, il faut qu'elle soit encore assez légère pour qu'on puisse la porter, mais déjà assez lourde pour ne pas s'envoler.

Slyvo se tourna vers le pilote de pierres.

– Tu te charges du transport, dit-il.

Un grognement qui pouvait passer pour un oui vint de sous la capuche pointue. Le pilote s'approcha, s'accroupit et saisit la roche entre ses bras puissants. Les manches et le devant de son manteau ignifugé émirent un petit sifflement. Spic renifla. Il y avait une odeur de terre calcinée. Le pilote de pierres força et poussa tant qu'il put ; les hublots de verre de sa capuche se couvrirent de buée. Mais la roche de vol ne bougea pas d'un pouce.

– Videz vos gourdes dessus, commanda Tom.

– Oui, fit Slyvo, se souvenant de ses nouvelles responsabilités. Videz vos gourdes dessus.

Ils versèrent donc tous de l'eau sur la pierre lumineuse. À peine mouillée, la roche crépita et prit une teinte orangée.

– Encore ! ordonna Slyvo.

Les pirates du ciel coururent remplir leurs gourdes. Peu à peu, la roche prit une belle nuance rouge. Elle parut remuer dans son lit de terre. Le pilote essaya de nouveau, et, cette fois, la pierre se dégagea avec un petit chuintement.

Vacillant sous le poids, la respiration sifflante, le pilote de pierres se dirigea vers la clairière. Les autres le suivirent. La chaleur qui irradiait de la roche était encore trop forte pour qu'ils puissent aider autrement qu'en espérant et priant.

La coque du navire du ciel apparut.

– On l'a, Strope ! appela Tom. On a la pierre de vol.

– C'est prêt tout de suite, répondit Strope Dendacier.

Spic remarqua de nouveau les espèces de couinements dans sa voix.

– Je vérifie juste que l'ancre et les grappins sont bien fixés, ajouta-t-il. Ce serait bête que le bateau parte sans nous.

Le pilote de pierres grogna. La roche, qui refroidissait, menaçait de lui échapper à tout moment.

– Tu as consolidé la nacelle ? questionna Slyvo.

– Pour qui tu me prends ? vint la réponse, irritée. Bien sûr que oui ! J'ai pris un peu de bois de fer. C'est moins léger que le ricanier ou le carnasse, mais ça s'enflamme moins facilement, au cas où la pierre serait encore trop chaude.

Le pilote émit un grognement pressant.

– Elle s'échappe ! s'exclama Lapointe.

La tête de Strope Dendacier apparut entre les feuilles.

– Tu peux la monter au bateau ?

Le pilote fit non de la tête en poussant un grognement. Il avait déjà bien assez de mal à retenir la roche de plus en plus légère.

– Dans ce cas, décida Strope, on passe au plan B. Mais il va falloir se montrer extrêmement précis si on veut que ça marche. Il faut que le pilote place la pierre exactement sous la nacelle avant de la lâcher. Alors, deux pas à gauche…

Le pilote se déplaça avec peine vers la gauche.

– Stop. Un petit poil en avant. STOP ! Recule un peu. À gauche. Recule encore un poil, indiqua encore Strope. Bon, ça devrait aller, murmura-t-il. Quand je te dirai d'y aller, tu lâcheras la pierre. Mais fais attention de ne pas la décaler en le faisant.

Spic scruta la cime de l'arbre. Il vit Strope Dendacier ouvrir la trappe d'une sorte de cage fixée au centre de la coque. Le pirate la maintint ouverte avec son pied tout en tenant une longue gaffe à la main.

– Vas-y ! cria-t-il.

Le pilote relâcha tout doucement la pierre. Pendant un instant, celle-ci resta en suspens dans les airs. Puis elle pivota et commença à s'élever, lentement d'abord, puis de plus en plus vite. Spic vit Strope prendre appui contre une branche. La pierre se rapprochait. Elle allait passer à côté de la nacelle ! Strope se pencha et dirigea tout doucement la roche avec sa gaffe. Elle dévia légèrement vers la gauche puis continua de monter.

– Allons, allons, pressa Slyvo à l'adresse de la pierre volante. S'il y arrive, souffla-t-il ensuite à Jobard, je veux tout le monde à bord aussitôt. Et si Tom Gueulardeau s'y oppose, tu te charges de lui, compris ?

KER-DONK ! La pierre s'engouffra dans la nacelle. VLAM-CLIC ! Strope Dendacier referma la trappe d'un coup de pied. Puis il se baissa pour tirer le verrou.

Spic se sentit le cœur plein d'allégresse. Le merveilleux vaisseau pirate pouvait de nouveau naviguer. Il poussa des hourras et des exclamations de joie avec les autres.

– Nous saurons nous en souvenir, Strope Dendacier, assura Slyvo. Bravo !

– Oui ! fit une autre voix, profonde et sonore à la fois. Bravo !

Tout le monde se retourna.

– Capitaine ! s'exclama Tom Gueulardeau avec un grand sourire. Vous êtes là !

– En effet, Tom, fut la réponse, solennelle.

Spic examina le capitaine et le trouva magnifique. Il était grand et, contrairement à Slyvo Split, se tenait très droit, l'allure fière et élégante. Ses favoris étaient soigneusement cosmétiqués et il portait un bandeau de cuir noir sur un œil. À son long manteau de pirate étaient accrochés une multitude d'objets divers allant de lunettes à divers poignards en passant par un télescope et des grappins. Un long sabre courbe qui luisait à la lueur argentée de la lune pendait à son côté. Spic eut un mouvement de surprise. N'avait-il pas déjà vu quelque part ce sabre, avec sa garde incrustée de joyaux et une entaille sur la lame ?

À cet instant, un huitième personnage émergea du sous-bois. Spic ouvrit de grands yeux. C'était un ours bandar, mais très différent de son ami puisqu'il était blanc aux yeux rouges – un albinos. Il laissa glisser la carcasse d'un hammel à cornes de son épaule. Puis il prit place derrière le capitaine.

– Ah ! Hubby, fit le capitaine. Justement celui que je voulais voir. Enchaîne-moi donc la tête plate.

– Ouaou ? fit l'ours bandar en désignant le navire du ciel.

– Non, répondit le capitaine. À un arbre. Mais un arbre solide, s'il te plaît.

Jobard grogna et leva le poing d'un air de défi. L'ours bandar l'écarta d'une pichenette et attrapa la chaîne qui enserrait le cou du gobelin, soulevant pratiquement celui-ci de terre.

– Doucement, Hubby, ordonna le capitaine.

L'ours bandar baissa le bras et tira sur la chaîne. Jobard fut emmené.

– Pensez-vous que cela soit bien avisé, monsieur ? fit la voix geignarde de Slyvo Split. Nous sommes dans les Grands Bois ici. Tout peut arriver… Jobard pourrait être utile, en cas d'attaque surprise.

Le capitaine se retourna et dévisagea Slyvo de son œil valide.

– Croyez-vous que je ne sache pas lire dans votre cœur de traître, Split ? dit-il. Vos amis de la Ligue des libres marchands d'Infraville ne vous seront d'aucune utilité ici, dans les Grands Bois. Nous sommes un équipage indépendant, et c'est moi qui donne les ordres. Un mot de plus et je vous envoie faire un vol plané. Je me suis bien fait comprendre ?

– C'est quoi, un vol plané ? chuchota Spic à Lapointe.

– On t'attache à une branche de carnasse en feu, répondit l'elfe des chênes sur le même ton. Et alors tu files dans l'espace en hurlant.

Spic frissonna.

– Nous passerons la nuit ici et partirons dès l'aube, disait le capitaine. Eh bien, cuistot ! fit-il en se tournant vers Tom et en désignant du pied la carcasse de hammel. À toi de jouer !

– Bien, capitaine, répondit aussitôt Tom.

– Lapointe, trouve-nous une route pour rentrer à Infraville. Je ne voudrais pas qu'on reste coincés dans ces bois maudits plus que nécessaire. Combien de temps te faudra-t-il pour terminer les réparations, Dendacier ? demanda-t-il en levant la tête.

– Dans les deux heures, capitaine, répondit Strope. Je viens de finir de chanfreiner le nouveau safran et de remettre en ligne les fixations du gouvernail…

– Et le pilote de pierres ?

– Il est descendu dans la salle des machines pour percer de nouveaux conduits.

– Excellent travail, commenta le capitaine.

Puis il se tourna et examina Spic. Et c'est à cet instant que le garçon sut avec certitude qu'il avait déjà vu le capitaine. Le bandeau sur l'œil l'avait empêché de le reconnaître tout de suite. Pourtant, c'était bien le pirate que Tontin et lui avaient rencontré, une éternité auparavant, quand son père troll avait voulu lui montrer le travail de bûcheron. Le grand pirate du ciel si élégant, avec son sabre incrusté de joyaux et l'entaille dans la lame. Comment aurait-il pu oublier ?

– Qu'est-ce que tu fais, planté là, bouche bée ? aboya le capitaine. Va aider les autres à faire du feu.

Spic se mit aussitôt au travail. Il fonça ramasser du petit bois dans la forêt. Cependant, quand il revint avec sa charge, le feu brûlait déjà, rugissant et crépitant. Chaque bûche que Lapointe et Tom Gueulardeau jetaient dans les flammes soulevait une gerbe d'étincelles orange. Le feu chantait, grondait et sifflait au son des diverses essences de bois qui l'alimentaient. De temps à autre, un morceau de ricanier embrasé jaillissait des flammes et s'élançait vers le ciel comme une fusée de détresse.

Spic frissonna. Ayant grandi parmi les trolls des bois, il avait appris à respecter le feu – cette denrée nécessaire mais dangereuse entre toutes pour un habitant des bois. C'est pourquoi ils ne faisaient brûler de bois léger que dans des poêles fermés. La négligence des pirates l'épouvanta.

Il s'empressait de remettre à coups de pied les branches enflammées dans le feu quand Hubby revint après avoir enchaîné Jobard à un arbre. Il cherchait le capitaine, mais croisa Spic et s'immobilisa.

– Ouaou ! lança-t-il en désignant la dent passée autour du cou du garçon.

– Je ne m'approcherais pas trop de Hubby, si j'étais toi, l'avertit Tom. C'est, dans le meilleur des cas, une créature assez imprévisible.

Mais Spic ne l'écoutait pas. Malgré l'apparence féroce de l'ours bandar, il retrouvait une tristesse familière dans son regard. L'ours tendit une griffe et en effleura doucement la dent.

– Sp-aou-ic, grogna-t-il.

Spic le regarda avec stupéfaction. Hubby savait qui il était. Il se rappela toutes les fois où son vieil ami jodlait son cri au clair de lune. Il se rappela les réponses jodlées elles aussi. Était-ce le cri désolé de Hubby que Spic avait entendu la nuit où l'ours bandar était mort ?

Hubby se toucha la poitrine puis montra celle de Spic.

– Oua-mi, dit-il.

– Ami, répéta Spic en souriant.

À cet instant, leur parvint le ton coléreux de la voix du capitaine. Il voulait Hubby, et il le voulait tout de suite. Hubby fit volte-face et s'éloigna avec obéissance. Spic leva la tête et vit Tom Gueulardeau qui l'observait d'un air stupéfait.

– Ma parole d'honneur que je n'ai jamais rien vu de pareil de toute mon existence, dit-il. Ami avec un ours bandar ! On aura tout vu. Allez, petit, dit-il enfin. Viens donc m'aider.

Tom se tenait près du feu. Après avoir dépecé le hammel à cornes avec dextérité, il l'avait embroché sur une tige de métal qu'il avait placée au-dessus des flammes. L'air embaumait la viande grillée. Spic le rejoignit, et ils se mirent à tourner la broche, tourner, tourner, tourner la broche.

Lorsque Strope Dendacier descendit de l'arbre en annonçant qu'il avait terminé ses réparations, le hammel était cuit. Tom sonna le gong.

– À la bouffe ! appela-t-il.

Spic prit place entre Lapointe et Tom Gueulardeau. Le capitaine et Hubby étaient assis en face, Slyvo Split restant dans l'ombre, un peu à l'écart. Le pilote de pierres n'avait pas paru, et Jobard, le gobelin à tête plate enchaîné à un arbre, dut se contenter des morceaux qu'on lui jetait.

À mesure que les pirates du ciel se remplissaient la panse de pain noir et de viande fumante arrosés de chopes de bière des bois, ils devenaient moins taciturnes.

– Sûr, fit Tom Gueulardeau en riant, qu'on s'est retrouvés dans des situations bien pires que celle-là, pas vrai, capitaine ?

Le capitaine émit un grognement. Il ne semblait pas d'humeur très bavarde.

– La fois où on a attaqué les bateaux de la Ligue carrément au-dessus de Sanctaphrax, hein ? J'ai cru qu'on s'en sortirait jamais. Coincés, qu'on était, pas de fuite possible et toute une bande de gobelins à tête plate déchaînés qui sortaient comme s'il en pleuvait de la soute de ces gros navires de la Ligue. J'ai jamais vu Split trembler autant ni courir si vite. Il arrêtait pas de dire qu'il aurait dû y avoir du bouleau dans ces soutes…

– C'est ce qu'il aurait dû y avoir, marmonna Slyvo. Et ça nous aurait rapporté un paquet…

– Mais le capitaine, il courait pas, lui, ça non, pas le Loup des nues ! fit Tom en ricanant. Il a tiré son sabre et il a foncé dans le tas, Hubby juste derrière lui. Ça a été meurtrier, mais pas comme les gobelins l'avaient pensé. C'est là qu'on a eu Jobard. Il en restait plus qu'un. C'est un sacré combattant, mais il faut le surveiller un peu… c'est là aussi que le capitaine a perdu son œil. Un prêté pour un rendu, qu'il appelle ça.

– Ça suffit, Tom, dit le capitaine avec un soupir.

– C'était pas un prêté pour un rendu quand j'ai perdu ma mâchoire, intervint Strope Dendacier, sa prothèse en bois de fer couinant à chaque mot. J'avais le dos tourné pour surveiller les grappins. Ulbus Pentephraxis est arrivé par-derrière avec une hache de chasse. Il m'a pas laissé une chance, commenta-t-il en crachant dans le feu. C'est maintenant un capitaine de la Ligue qui mène une vie de luxe à Infraville. Les hommes de la Ligue ! croassa-t-il en crachant de nouveau.

– Oh ! ils ne sont pas si mauvais, protesta Slyvo Split en se rapprochant du feu. Quand j'ai commencé à Infraville comme…

– Lapointe, interrompit le capitaine. Tu as tracé la route ?

L'elfe des chênes hocha la tête.

– C'est bien, fit le capitaine, soudain grave, en faisant lentement du regard le tour des pirates présents. Les trois règles de la navigation aérienne sont : ne jamais partir avant d'avoir tracé sa route, toujours rester dans la limite d'altitude de votre plus longue corde d'amarrage et ne jamais mouiller dans des zones qui ne figurent pas sur les cartes.

Les pirates acquiescèrent. Chacun d'eux connaissait le danger qu'il y avait à se perdre dans ce vaste océan de verdure. Le feu se muait en braises. Spic regarda les petites flammes se refléter dans l'œil pensif du capitaine.

– Ça m'est arrivé un jour, reprit ce dernier avec un soupir, d'atterrir là où je n'aurais jamais dû. Mais je n'avais pas le choix.

Les pirates se regardèrent avec surprise. Il était rare que le capitaine parlât de lui. Ils remplirent leurs chopes et se rapprochèrent. L'obscurité se referma sur eux.

– C'était par une terrible nuit de tempête, commença le capitaine Quintinius Verginix – le Loup des nues. Une nuit froide et détrempée, une nuit d'attente et de désolation.

Spic sentit un frisson d'excitation lui parcourir le corps. Il buvait chacune de ses paroles.

– À l'époque, j'étais simple matelot sur un bateau de la Ligue, reprit-il en regardant le cercle des visages attentifs baignés par la lueur du feu mourant. Et si vous trouvez que je suis dur avec vous, bande de bons à rien, fit-il en ricanant, vous auriez dû servir sous les ordres de Multinius Gobtrax. Impitoyable, exigeant, pointilleux… le pire capitaine de la Ligue que vous puissiez rencontrer.

Spic regardait les lucioles faire des cabrioles dans les airs. Le vent était complètement tombé et il se sentait la peau et les cheveux humides. Il mordilla l'extrémité de son foulard et ferma les yeux.

– Imaginez-vous, disait le capitaine, que nous n'étions que cinq à bord, et pas plus de quatre à pouvoir faire naviguer le vaisseau. Gobtrax, son garde du corps, le pilote de pierres et moi. Maria en était à son neuvième mois de grossesse. La tempête nous avait pris par surprise et détournés loin de notre route. Et surtout, les courants montants étaient d'une force incroyable. Avant que nous puissions jeter l'ancre ou lancer les grappins, nous avons été aspirés très loin au-dessus de la forêt, en direction... du ciel ouvert.

Spic sentit la tête lui tourner. S'écarter du sentier était déjà terrible, mais se perdre dans l'immensité du ciel...

– Nous avions abaissé les voiles mais ne cessions pas pour autant de prendre de l'altitude. Je me suis accroupi auprès de Maria. « Tout va très bien se passer », essayais-je de la rassurer sans trop y croire moi-même. Jamais nous ne serions rentrés à Infraville à temps pour l'accouchement. Et, même si nous l'avions pu, la naissance de cet enfant n'avait rien de réjouissant.

Spic ouvrit les yeux et dévisagea le capitaine. Celui-ci contemplait les braises rougeoyantes et jouait distraitement avec les pointes cirées de ses favoris. Son œil unique paraissait humide.

– Il y avait quelque chose qui n'allait pas avec cet enfant ? s'enquit Spic.

– Non, fit le capitaine. Sinon le fait que c'était un enfant tout court… Maria et moi avions de grandes décisions à prendre, reprit-il après un silence. J'étais ambitieux. Je voulais pouvoir un jour commander mon propre bateau – je ne pouvais pas me permettre de m'encombrer d'un enfant. Capitaine ou père, il fallait choisir. En fait, le choix était déjà fait. J'avais dit à Maria qu'elle pourrait m'accompagner, mais qu'il faudrait alors qu'elle choisisse entre l'enfant et moi. Elle m'a choisi moi, dit-il avant de prendre une profonde inspiration. La mère Plume-decheval avait accepté de nous prendre l'enfant.

Un silence complet s'abattit sur le feu de camp. Les pirates regardaient par terre d'un air gêné. Ils n'avaient pas l'habitude d'entendre leur Loup des nues se confier ainsi. Tom Gueulardeau entreprit de ranimer le feu.

– Du moins, tel était le plan, dit le capitaine avec un soupir. Mais on se trouvait à des milles d'Infraville et on continuait d'être aspirés vers le haut. C'est le pilote de pierres qui nous a sauvés, comme il nous a sauvés ce soir. Il a éteint les brûleurs de bois flottant, lâché du lest et, voyant que ça ne suffisait pas, il a grimpé dans la nacelle pour tailler la roche de vol. Petit à petit, à mesure que des morceaux de roche cédaient, notre ascension s'est ralentie. Puis nous nous sommes arrêtés. Et alors on s'est mis à redescendre. Quand la coque du bateau a enfin pu s'ancrer à la forêt, nous étions six à bord. Maria avait accouché.

Le capitaine se leva et se mit à faire les cent pas.

– Que faire ? dit-il. Nous étions coincés dans les Grands Bois et le bébé n'aurait pas survécu au voyage à pied jusqu'à Infraville. Gobtrax nous a ordonné de nous débarrasser du petit. Il refusait d'attendre. Maria était dans tous ses états, mais le garde du corps de Gobtrax, une espèce de baraque troglo, nous a bien fait comprendre qu'il n'hésiterait pas à me briser le cou si je n'obtempérais pas... Qu'est-ce que je pouvais faire d'autre ?

Les pirates secouèrent gravement la tête. Tom remuait les braises.

– Nous avons donc quitté le bateau et nous sommes partis dans la forêt. Je me souviens du bruit que faisaient les créatures de la nuit, et du calme du petit paquet dans les bras de Maria. À un moment, nous avons traversé un village de trolls des bois... Assez curieux, commenta le capitaine. Trapus, sombres, pas très intelligents. Ils habitent dans des cabanes, dans les arbres... Il a fallu que j'arrache l'enfant des bras de Maria. Le regard qu'elle avait à cet instant ! On aurait dit qu'on la vidait de toute vie. Elle n'a plus jamais prononcé une parole ensuite...

Le capitaine renifla. Le cœur de Spic s'emballait.

– J'ai enveloppé le bébé dans un châle, reprit-il, la voix à peine audible. Le châle de naissance que Maria avait confectionné pour lui. Elle avait tout brodé elle-même. Avec un arbre aux berceuses pour lui porter chance, elle avait dit. J'ai laissé le petit paquet au pied d'une cabane, et nous sommes partis. Nous n'avons pas une fois regardé en arrière.

Le capitaine s'interrompit et, les mains crispées derrière le dos, se perdit dans la contemplation des ombres de la forêt. Malgré les flammes rugissantes, Spic avait froid. Il devait serrer fort la mâchoire pour empêcher ses dents de s'entrechoquer.

– Vous avez pris la bonne décision, capitaine, fit tranquillement Tom Gueulardeau.

– J'ai pris la seule décision possible, Tom, répliqua le capitaine en se retournant. C'est dans le sang. Mon père était capitaine d'un bateau de l'air pirate, comme son père et le père de celui-ci avant lui. Peut-être…

Spic avait la tête qui tournait. Tout bourdonnait à l'intérieur et les pensées se bousculaient. L'enfant abandonné. Les trolls des bois. Ce foulard, ce doudou qu'il portait encore autour du cou. « Mon foulard », pensa-t-il. Il contempla le majestueux pirate du ciel. « Se peut-il que vous soyez mon père ? se demanda-t-il. Votre sang coule-t-il dans mes veines ? Commanderai-je moi aussi un navire, un jour ? »

Peut-être. Peut-être pas. Il fallait que Spic en ait le cœur net.

– Le... le bébé, commença-t-il nerveusement.

Le capitaine pivota pour le regarder, le voyant, semblait-il, pour la première fois. Le sourcil au-dessus du bandeau se haussa d'un air interrogateur.

– C'est Spic, Capitaine, intervint Tom Gueulardeau. C'est lui qui a trouvé la pierre de vol et...

– Je suis sûr que ce garçon peut parler lui-même, coupa le capitaine. Qu'est-ce que tu voulais dire ?

Spic se leva et baissa les yeux. Il avait le souffle court et saccadé et avait du mal à parler.

– Monsieur, fit-il enfin, le bébé, c'était... une f... fille ou un garçon ?

Quintinius Verginix examina Spic, des plis profonds lui barrant le front. Peut-être ne s'en souvenait-il pas. Ou peut-être s'en souvenait-il trop bien. Il se frotta le menton.

– C'était un garçon, répondit-il enfin.

Un bruit de chaînes se fit entendre derrière lui tandis que Jobard bougeait dans son sommeil. Le capitaine vida sa chope et s'essuya les lèvres.

– Départ de bonne heure demain matin, dit-il. Un peu de repos ne nous fera pas de mal.

Spic avait l'impression qu'il ne pourrait plus jamais dormir. Il avait des palpitations et son imagination ne lui laissait plus une seconde de répit.

– Hubby, tu prends le premier quart, décréta le capitaine. Réveille-moi à quatre heures.

– Ouaou, grogna l'ours bandar.

– Et prends garde à notre dangereux ami, là-bas.

Spic eut un sursaut d'inquiétude, sitôt apaisé lorsqu'il comprit que le capitaine parlait de Slyvo Split.

– Tiens, fit Lapointe en tendant à Spic une couverture. Prends ça. J'aurai assez chaud pour cette nuit dans mon nid.

Là-dessus, l'elfe des chênes grimpa en haut de l'arbre, monta dans le bateau puis gagna le cocon tout en haut du grand mât.

Spic s'enroula dans la couverture et s'allongea sur un matelas de feuilles sèches. La flambée avait repris, chaude et lumineuse. Des étincelles scintillantes et des braises rougeoyantes s'élevaient vers le ciel. Spic gardait les yeux fixés sur les flammes dansantes.

Sans ce pirate du ciel – ce Loup des nues qui avait poussé Tontin et Spelda à envoyer Spic au loin de crainte qu'il ne se fasse enlever –, sans ce capitaine, Spic n'aurait jamais quitté le village des trolls. Il n'aurait jamais quitté le chemin. Il ne se serait jamais perdu.

Mais il comprenait maintenant. Il avait toujours été perdu. Pas seulement depuis qu'il s'était écarté du chemin, mais depuis le tout début ; lorsque le pirate du ciel l'avait abandonné, enveloppé dans son châle de naissance, devant la cabane des Picabois. Mais voilà qu'il avait retrouvé ses marques. Trois petites phrases ne cessaient de lui trotter dans la tête.

J'ai trouvé mon chemin. J'ai trouvé mon destin. J'ai trouvé mon père !

Spic ferma les yeux. L'image du bâton charme-cœur pointé vers le ciel lui revint à l'esprit. C'était là que résidait son avenir : dans le ciel, avec son père.

CHAPITRE 13

Le luminard

CE FUT LE CALME. PUIS IL Y EUT DU MOUVEMENT. Et le calme revint.

Le premier moment paisible correspondit à ce silence intense et profond qui précède l'aube. Spic remua sans se réveiller et resserra la couverture de Lapointe autour de lui. Ses rêves étaient pleins de navires du ciel fendant les profondeurs indigo. Spic tenait la barre. Il remontait son col pour se protéger du vent. « Courageuse traversée », murmura-t-il, et il sourit dans son sommeil.

Le mouvement qui suivit fut bref et précis : un déploiement d'activités. Spic tenait toujours le gouvernail et maintenait son cap tandis qu'autour de lui, son équipage se dépêchait de déployer les filets : volée d'oiseaux des neiges migrateurs en vue ! Il y aurait de l'oiseau des neiges rôti pour le dîner.

Les drisses et les cordages battaient contre le mât. « Tribord toute ! » fit une voix. Spic soupira et se tourna de l'autre côté.

La seconde plage de calme prit une teinte orangée, véritable désert de vide clignotant. Il n'y avait plus aucune voix, pas même la sienne. Il avait froid au dos, chaud au visage. Ses yeux s'ouvrirent brusquement.

Il ne comprit tout d'abord rien à ce qu'il vit. Il y avait devant lui un reste de foyer, des os calcinés, des plaques de graisse répandues sur la terre. Au-dessus de lui, la voûte dense du feuillage se zébrait de lumière : le soleil matinal dardait déjà ses premiers rayons.

Spic se redressa. Les événements de la nuit lui revinrent d'un seul coup. La tempête. Le navire de l'air. Sa découverte de la roche de vol. Le dîner avec les pirates du ciel. La découverte de son père... Mais où étaient-ils passés ?

Ils étaient partis sans lui. Spic hurla de douleur, de tristesse et de désolation. Les larmes dévalèrent son visage, transformant les rayons du soleil en arcs-en-ciel en forme d'étoiles. Ils l'avaient abandonné ! Ses sanglots déchirèrent le silence.

– Pourquoi, mon père, pourquoi ? s'écria-t-il.
Pourquoi m'as-tu abandonné ? Une fois de plus !

Ses paroles s'envolèrent, et avec elles ses espoirs de
jamais retrouver son chemin à travers les Grands Bois. Il
laissa pendre sa tête. La forêt lui paraissait plus calme que
d'habitude. Pas de toussotements de fromps, pas de
piaillements de quarels, pas de crissements de filelames.
Non seulement les pirates étaient partis, mais on aurait
dit qu'ils avaient emmené avec eux toutes les créatures de
la forêt.

Il ne régnait pourtant pas un silence complet. On
entendait comme une sorte de grondement sourd, un sifflement et des craquements qui s'intensifiaient alors que
Spic restait assis là, la tête dans les mains. La chaleur
dans son dos augmentait et le gilet en peau de hammel
se hérissa de façon inquiétante. Spic se retourna. Et il
poussa un hurlement :

– Iaaaaiiiiiii !

Ce n'était pas la lumière du soleil qui éclairait le
matin. C'était un incendie. Les Grands Bois étaient en feu.

Un morceau de chêne enflammé s'était envolé du
foyer sans surveillance des pirates pour se loger dans les
branches d'un arbre aux berceuses. Celui-ci s'était
consumé lentement, puis, des heures plus tard, s'était
embrasé. Attisé par le vent, le feu s'était rapidement
répandu et, à présent, du sol à la cime des arbres, un véritable mur de flammes rouge et orangé avançait à travers
la forêt.

La chaleur devenait insupportable. Spic tenta de se
lever et se sentit défaillir. Une branche en feu tomba à
côté de lui, soulevant une gerbe d'étincelles pareilles à des
gouttes d'or. Il se mit à courir.

Il courut, courut – le vent à ses côtés –, cherchant désespérément à atteindre le bout du mur ardent avant que les flammes ne l'engloutissent. Il courut comme il n'avait jamais couru de sa vie... et pourtant pas assez vite. À ses deux extrémités, la muraille de feu se repliait en effet sur elle-même, et Spic allait se retrouver emprisonné.

L'air brûlant roussissait le poil de son gilet, la sueur lui trempait le visage et lui coulait dans le dos, le souffle impitoyable de l'air en fusion lui faisait battre les tempes. Les deux extrémités du mur se refermèrent un peu plus.

– Plus vite, cria Spic pour se stimuler. PLUS VITE !

Il passa en trombe devant un crapoteux, dont les pattes antérieures courtes et trapues ralentissaient fatalement la course. Un aérover, affolé par la chaleur et la fumée, se mit à tourner en rond avant de disparaître dans les flammes en une explosion de vapeur fétide. Sur sa droite, Spic aperçut une sanguinaria qui se tortillait et cherchait en vain à échapper au brasier : le carnasse qu'elle parasitait se mit à hurler et brailler dès que les premières langues orangées commencèrent à lécher la base de son tronc.

Spic courut et courut encore. Les deux extrémités du mur de feu se touchaient presque à présent. Il était quasi encerclé. Son seul espoir de fuite résidait dans le petit espace entre les deux pans de muraille embrasée. Comme deux rideaux tombant du ciel, l'incendie se refermait. Spic se précipita vers l'interstice. La fumée âcre et la chaleur lui brûlaient les poumons ; la tête lui tournait. Comme dans un rêve, il vit les rideaux éclatants se refermer tout à fait.

Spic s'immobilisa et regarda autour de lui. Il se trouvait au milieu d'un cercle de flammes. Il n'y avait plus rien à faire.

Branches et fourrés fumaient déjà. D'autres flammes naquirent, s'animèrent et se propagèrent. Des plantes grasses géantes se mirent à siffler en projetant des jets de vapeur tandis que l'eau accumulée dans leurs gros membres anguleux se mettait à bouillir. Elles enflèrent, enflèrent, puis – BANG, BANG, BA-BA-BA-BANG – explosèrent. Pareilles aux bouchons des bouteilles de mousseux des bois, leurs graines fusèrent dans un jet de liquide pétillant.

L'eau apaisa les flammes, mais seulement pour un instant. Spic recula. Il regarda par-dessus son épaule.

Le feu avançait derrière lui aussi. Il avançait sur sa droite, sur sa gauche. Alors Spic leva les yeux vers le ciel.

– Ô Luminard ! murmura-t-il. À l'aide.

Aussitôt, un bruit formidable couvrit le rugissement de l'incendie. Les flammes violacées d'un ricanier embrasé dansaient à moins de vingt mètres du garçon. Le craquement sinistre retentit de nouveau. Spic vit l'arbre trembler. L'énorme masse allait lui tomber dessus. Il jeta des coups d'œil affolés autour de lui. Il n'y avait nulle part où fuir, nulle part où se cacher, rien pour se protéger.

De nouveau le bruit terrible l'enveloppa – rauque, caverneux, comme la dent pourrie que Spic avait arrachée à la gencive enflée de l'ours bandar.

– NON ! hurla Spic tandis que l'arbre s'ébranlait.

Pendant une seconde, le ricanier resta suspendu dans les airs. Spic se laissa tomber par terre et se roula en boule. Un souffle d'air brûlant le heurta. Il serra les paupières et attendit, pétrifié, que l'arbre l'écrase.

Rien ne se produisit. Il attendit encore. Toujours rien. Mais comment ? Pourquoi ? Spic releva la tête, ouvrit les yeux et poussa une exclamation.

L'énorme ricanier – qui n'était plus qu'une boule de feu violacé – flottait à présent au-dessus du sol. Le bois, si léger dès qu'il flambait, avait arraché ses racines de la terre et montait lentement vers le ciel. De part et d'autre de l'endroit où il s'était trouvé, deux autres ricaniers étaient en train de se déraciner. La voix mélancolique d'un arbre aux berceuses s'éleva tandis que lui aussi prenait son essor au-dessus du brasier. Le ciel lui-même paraissait embrasé.

Les arbres manquants laissaient comme un trou noir. On aurait dit un sourire édenté. Spic saisit sa chance et se précipita vers l'ouverture inespérée. Il fallait qu'il l'atteigne avant qu'elle ne se referme.

– Pres... que... pres... que... haletait-il.

Il était encadré par le feu. Il baissa la tête et remonta le col de sa veste avant de foncer dans le mur de flammes. Plus que quelques pas... Encore un petit peu...

Il leva les bras pour se protéger les yeux et continua de courir à travers la fournaise qui se refermait. Il avait la gorge en feu, la peau douloureuse et il sentit l'odeur de ses cheveux qui grillaient.

Tout à coup, la chaleur diminua d'intensité. Spic se trouvait à l'extérieur de la fournaise. Il courut encore un peu. Le vent était tombé ; la fumée s'épaississait. Il s'arrêta et se retourna. Les grosses boules turquoise et violacées s'élevaient majestueusement dans le ciel obscur.

Il avait réussi. Il avait échappé à l'incendie de forêt !

Mais ce n'était guère le moment de se féliciter. Pas encore en tout cas. Les volutes de fumée s'élevaient partout autour de lui, lui remplissaient les yeux et la bouche, l'aveuglaient, l'asphyxiaient.

Plus loin, toujours plus loin, Spic continua d'avancer en trébuchant. Il respirait à travers son foulard qu'il avait plaqué contre son visage. Plus loin, toujours plus loin. Il avait affreusement mal à la tête, mal aux poumons, et ses yeux irrités larmoyaient.

– Je n'en peux plus, hoqueta-t-il. Mais je dois continuer.

Spic poursuivit sa route jusqu'à ce que les rugissements du brasier ne fussent plus qu'un souvenir. L'épaisse fumée âcre se mua peu à peu en un brouillard gris et froid qui, bien qu'aussi opaque, se révéla merveilleusement rafraîchissant. Spic marcha jusqu'à l'orée même des Grands Bois. Mais il ne s'arrêta pas.

Le brouillard s'épaissit, puis se dissipa.

Il n'y avait plus d'arbres. Plus de fourrés, de buissons, de plantes ni de fleurs. Petit à petit, sous les pas de Spic, le sol spongieux des sous-bois céda la place à une surface rocheuse et piquetée que la brume rendait glissante. Spic faisait attention où il posait les pieds. S'il dérapait sur les plaques traîtresses, il ne manquerait pas de se coincer le pied dans les profonds interstices qui les séparaient.

Le brouillard se dissipa, puis s'épaissit de nouveau, comme toujours dans la Lande, cette étroite bande rocheuse qui sépare les Grands Bois de la Falaise proprement dite. Au-delà, c'était l'inconnu, les zones inexplorées jamais portées sur les cartes ; un lieu de cratères suintants et de brouillards tourbillonnants ;

un lieu où même les pirates du ciel ne s'aventuraient jamais intentionnellement.

Une brise commençait à souffler des profondeurs du gouffre. Elle apportait un parfum de soufre tandis que de grosses langues brumeuses s'enroulaient par-dessus le bord de la falaise et léchaient les rochers. Les gémissements et les râles d'une éternité d'âmes perdues résonnaient sur toute la Lande. Ou n'était-ce que le vent qui gémissait doucement ?

Spic trembla. Était-ce l'endroit auquel pensait l'oiso-veille lorsqu'il lui avait prédit que son destin l'attendait par-delà les Grands Bois ? Il essuya les gouttes d'eau de son visage et bondit par-dessus une grosse faille dans la roche. Lorsqu'il atterrit, sa cheville céda sous lui. Il poussa un cri, s'écroula et frotta doucement son articulation dou-loureuse. La douleur finit par diminuer. Il se releva alors et s'appuya prudemment sur son pied.

— Je crois que ça va aller, murmura-t-il avec soulage-ment.

De la brume sulfureuse retentit une voix :

— Je suis heureux de l'entendre, maître Spic.

Spic en resta coi. Il ne pouvait s'agir du vent qui lui jouait des tours. C'était une voix. Une vraie voix. Et qui plus est, c'était une voix familière.

— Tu as beaucoup voyagé depuis que tu as quitté le chemin des trolls, poursuivit-elle, mélodieuse, légèrement moqueuse. Tu es allé loin, si loin. Et je t'ai suivi à chacun de tes pas.

— Qu... qui êtes-vous ? bégaya Spic en scrutant les tourbillons de brume. Pourquoi ne puis-je vous voir ?

— Oh, mais tu m'as vu souvent, maître Spic, répondit la voix enjôleuse. Par ce matin endormi, dans le camp des égorgeurs, dans les couloirs gluants des gobelins de bras-sin, dans la caverne souterraine des harpies troglos... j'étais là. J'ai toujours été avec toi.

Spic sentit ses genoux se dérober. Il était troublé, effrayé. Il se creusa la cervelle pour essayer de compren-dre ce qu'il entendait. Il avait déjà entendu cette voix douce et insistante, cela était certain. Et pourtant...

— Tu ne peux avoir oublié, maître Spic, reprit la voix, ponctuée par un ricanement nasal.

Spic tomba à genoux. La roche était dure et humide au toucher, le brouillard plus dense que jamais. Spic voyait à peine ses mains devant son visage.

– Qu'attendez-vous de moi ? murmura-t-il.

– Ce que j'attends de toi ? Moi ? fit la voix en éclatant de rire. C'est toi qui devrais attendre quelque chose de moi, maître Spic. Après tout, c'est toi qui m'as appelé.

– Je… je vous ai appelé ? s'étonna Spic, ses mots à peine perceptibles dans le brouillard épais. Mais quand ? Comment ?

– Allons, protesta la voix. Ne joue pas au petit troll des bois innocent avec moi. « Ô Luminard ! », fit-il d'une petite voix désespérée que Spic reconnut comme étant la sienne. « Je t'en prie, je t'en supplie. Aide-moi à retrouver mon chemin. » Tu nies m'avoir appelé ?

Spic trembla d'horreur en s'apercevant de ce qu'il avait fait.

– Mais je ne savais pas, protesta-t-il. Je ne pensais pas...

– Tu m'as appelé et je suis venu, fit le luminard, et il y avait une nuance de menace dans sa voix, à présent. Je t'ai suivi. J'ai veillé sur toi. Plus d'une fois, je t'ai tiré des situations périlleuses dans lesquelles tu t'étais fourré. Tu croyais donc que je n'écoutais pas, maître Spic ? reprit la voix, plus doucement, après un silence. J'écoute toujours. J'écoute les misérables, les égarés, ceux qui sont toujours à l'écart. J'aide, je guide, et, parfois...

– Parfois ? murmura Spic.

– Ils viennent à moi, annonça la voix. Comme tu es venu à moi, maître Spic.

Le brouillard se dissipa de nouveau. Il semblait flotter dans les airs comme les filaments fragiles d'une toile d'araignée. Spic s'aperçut alors qu'il était agenouillé au bord d'un à-pic. À quelques centimètres de lui, le sol cédait la place à une fosse d'un noir d'encre. Derrière lui, il y avait les volutes d'un nuage insistant. Devant lui... Spic poussa un cri d'angoisse. Devant lui, en suspens dans le vide, il y avait l'horrible figure grimaçante du luminard lui-même. Couvert d'écailles et de verrues, avec d'épaisses touffes de poil jaillissant de sa face triangulaire, il contemplait Spic d'un regard concupiscent et se léchait les babines.

– Viens, dit-il d'une voix douce. Tu m'as appelé et me voici. Pourquoi ne pas faire le dernier pas ? Tu seras enfin chez toi.

Incapable de détacher son regard du visage monstrueux de la créature, Spic restait pétrifié. Deux cornes

tortillées se terminaient en pointes acérées ; deux yeux jaunes le fixaient d'un regard hypnotique. La brume se dissipa encore un peu. Les épaules du luminard étaient drapées d'une longue cape grisâtre qui se perdait dans le néant.

– Un petit pas, fit doucement la créature en lui faisant signe d'approcher. Prends ma main.

Spic examina avec horreur les doigts osseux et griffus.

– C'est si facile… pour quelqu'un comme toi, maître Spic, de me rejoindre, continua la voix enjôleuse tandis que les yeux jaunes s'agrandissaient. Car tu es spécial.

– Spécial, souffla Spic.

– Spécial, répéta le luminard. Je l'ai su dès que j'ai entendu ton premier appel. Ton désir était puissant ; il y avait un vide à l'intérieur de toi qui ne demandait qu'à être comblé. Et je peux t'aider. Je peux tant t'apprendre. Et c'est ce que tu veux, au plus profond de toi, maître Spic, non ? Tu veux savoir. Comprendre. Et c'est pour cela que tu t'es écarté du chemin.

– Oui, fit Spic rêveusement. C'est pour ça que j'ai quitté le chemin.

– Les Grands Bois ne sont pas pour toi, assura le luminard, flatteur, insistant. Ce n'est pas pour toi non plus de rester collé aux autres par sécurité, de te cacher dans les coins, d'avoir peur de tout et de tout le monde. Parce que tu es comme moi. Tu es un aventurier, un voyageur, un chercheur. Tu sais écouter, fit la voix, de plus en plus douce et intime. Tu pourrais toi aussi devenir un luminard, maître Spic. Je t'enseignerais tout. Prends ma main et tu verras.

Spic avança d'un pas. Sa cheville heurta quelque chose. Le luminard, toujours en suspens dans le vide, se mit à trembler. Sa figure monstrueuse se tordit de douleur. Des larmes surgirent au coin de ses yeux jaunes.

– Oh, tu en as connu, des moments difficiles, maître Spic, soupira-t-il. Toujours sur le qui-vive. Jamais sorti du danger. La peur toujours avec toi. Mais la donne peut être changée, maître Spic. Il te suffit de prendre ma main.

Spic passait lourdement d'un pied sur l'autre. Il y eut un roulement de pierres et un fracas lorsqu'un petit éboulement sombra dans le néant. Il demanda :

– Et est-ce que je deviendrai comme vous ?

Le luminard rejeta la tête en arrière et éclata d'un rire sans joie.

– Tu as donc oublié, mon petit étourdi ? Tu peux ressembler à qui tu veux. À un puissant guerrier, à un preux chevalier… à n'importe quoi. Imagine, maître Spic, poursuivit-il d'une voix tentatrice. Tu peux devenir un gobelin ou un troglo.

Tandis que le luminard parlait, Spic vit défiler toute une série de personnages qu'il ne reconnut que trop bien. Il y avait le gobelin de brassin qui l'avait fait sortir de la colonie.

Le gobelin à tête plate qui l'avait sorti du marécage.

Le troglo qui avait fait un croche-pied à Mag et lui avait indiqué le chemin du conduit d'aération.

– Ou que dis-tu de celui-là ? ronronna le luminard en prenant l'apparence d'un individu à face rouge et aux cheveux en bataille. Ne t'ai-je pas entendu penser que tu aimerais rester parmi les égorgeurs ? Ou peut-être que tu

préférerais être un ours bandar, continua-t-il en se méta-morphosant de nouveau. Grand. Puissant – personne ne vient embêter les ours bandars. Sauf les tignasses, évi-demment, ajouta-t-il avec un ricanement déplaisant.

Spic frissonna. Cette créature flottante savait tout. Absolument tout.

– Je sais ! s'écria le luminard, qui se transforma en une créature brune au poil emmêlé et au petit nez caoutchouteux. En troll des bois, tu pourrais rentrer chez toi. Tu serais adapté cette fois. N'est-ce pas ce que tu as toujours voulu ?

Spic hocha machinalement la tête.

– Tu peux être qui tu veux, maître Spic, insista le luminard en reprenant sa forme initiale. N'importe qui. Tu peux aller n'importe où et faire n'importe quoi. Il te suffit de prendre ma main, et tu auras tout.

Spic déglutit. Son cœur cognait dans sa poitrine. Si le luminard disait vrai, il ne serait plus jamais considéré comme un étranger.

– Et pense à tout ce que tu verras, ronronna le luminard. Pense à tous les endroits où tu pourrais aller en changeant de forme, en apparaissant aux autres tels qu'ils voudraient te voir, toujours en sécurité, toujours au courant de tout ; toujours avec une longueur d'avance. Pense au pouvoir dont tu disposerais !

Spic contempla la main tendue. Il se tenait tout au bord de la falaise. Son bras s'avança lentement vers le vide, frottant au passage les piques de sa veste en peau de hammel.

– Allez, viens, fit le luminard, la voix lisse et sucrée. Un pas, rien qu'un pas et prends ma main. Tu sais que tu en as envie.

Mais Spic se retenait encore. Toutes les rencontres qu'il avait faites dans les Grands Bois n'avaient pas été si mauvaises. L'ours bandar lui avait sauvé la vie. Les égorgeurs aussi. Sans leur veste, qui se hérissait tant à présent, le carnasse l'aurait digéré. Il pensa à son village et à Spelda, sa maman d'amour, qui l'avait aimé comme son fils depuis le jour de sa naissance. Les larmes affluèrent.

S'il acceptait l'offre si tentante du luminard, il ne deviendrait pas pour autant un troll des bois. « Je pourrais bien prendre n'importe quelle apparence, se dit-il, je ne serais jamais que ce qu'ils redoutent le plus. Un luminard. »

Non, c'était impossible. Il ne pourrait jamais revenir en arrière. Jamais. Il lui faudrait rester à l'écart – seul.

– C'est la peur qui nous fait détester la solitude, dit le luminard, lisant dans ses pensées. Viens avec moi et tu n'auras plus jamais peur. Prends ma main et tu comprendras. Aie confiance, maître Spic.

Spic hésita. Était-ce là le monstre épouvantable que tous les habitants de la forêt craignaient tant ?

– T'ai-je jamais abandonné ? demanda tranquillement le luminard.

Spic secoua rêveusement la tête.

– Et puis, ajouta le monstre, je croyais que tu voulais voir ce qu'il y avait par-delà les Grands Bois.

Par-delà les Grands Bois. Ces mots résonnèrent dans la tête de Spic. Par-delà les Grands Bois. Spic tendit la main et franchit le bord de la falaise.

Avec un éclat de rire formidable, le luminard s'empara du poignet de Spic, ses griffes lui pénétrant dans la chair.

– Ils se laissent tous avoir ! s'écria-t-il, triomphant. Tous ces pauvres petits trolls et gobelins, ces malheureux enfants abandonnés ; ils se croient tous spéciaux. Ils m'écoutent tous. Ils suivent tous ma voix… c'en est pathétique !

– Mais c'est toi qui as dit que j'étais spécial ! protesta Spic, suspendu au-dessus du vide béant.

– Vraiment ? ricana le luminard. Petit imbécile. Comment as-tu pu croire que tu pourrais un jour me ressembler ? Tu es aussi insignifiant que les autres, maître Spic, fit-il avec mépris. Tu n'es rien. RIEN ! hurla-t-il. Tu m'entends ?

– Mais pourquoi agissez-vous ainsi ? gémit Spic avec désespoir. Pourquoi ?

– Parce que je suis le luminard, cria la bête avec un rire mauvais. Tricheur, trompeur, arnaqueur et escroc ! Toutes mes belles paroles et promesses aguichantes ne sont que du vent. Je poursuis ceux qui se sont écartés du chemin, je les attire vers la falaise, et JE M'EN DÉBARRASSE !

Le luminard lâcha son étreinte. Spic hurla de terreur. Il tombait. Plus loin, toujours plus loin par-delà le bord de la Falaise, dans les profondeurs insondables des ténèbres au-dessous.

CHAPITRE 14

Par-delà les Grands Bois

SPIC AVAIT LA TÊTE QUI TOURNAIT EN DÉVALANT LE VIDE. Le brusque afflux d'air fit gonfler ses vêtements et lui coupa la respiration. Il dégringolait, et, pendant tout ce temps, les paroles cruelles du luminard résonnaient dans son crâne.

Tu n'es rien, RIEN !

– Ce n'est pas vrai ! hurla Spic.

L'à-pic défilait devant lui comme une image brouillée. Toute cette quête. Toutes ces tentatives, toutes ces tribulations. Toutes ces fois où il avait cru qu'il n'arriverait jamais vivant au bout des Grands Bois ! Retrouver son père depuis longtemps perdu pour le reperdre aussitôt, et puis, surtout, découvrir que tout ce voyage n'avait été en fait qu'une partie d'un jeu cruel et compliqué conçu par le luminard. Tout cela était tellement, tellement monstrueux et injuste.

Les larmes affluèrent aux yeux de Spic.

– Je ne suis pas rien, ce n'est pas vrai ! pleura-t-il.

Et il tombait toujours dans la brume tourbillonnante. Allait-il tomber ainsi indéfiniment ? Il serra les paupières.

– Tu n'es qu'un menteur ! hurla Spic vers le haut de la Falaise.

Menteur, menteur, men… les mots résonnèrent contre la paroi rocheuse.

« Oui, pensa Spic, le luminard est un menteur. Il a menti sur tout. Tout ! »

– Je suis quelque chose ! lança Spic. Je suis quelqu'un. Je suis Spic, qui s'est écarté du chemin et est allé par-delà les Grands Bois. JE SUIS MOIIIIIII !

Spic ouvrit les yeux. Il se passait quelque chose. Il ne tombait plus, il volait, bien au-dessus de la Falaise, à travers les nuages.

– Suis-je mort ? se demanda-t-il à voix haute.

– Pas mort, répondit une voix familière. Loin de là. Tu as encore du chemin à parcourir.

– L'oisoveille ! s'écria Spic.

L'oisoveille resserra son étreinte sur les épaules du garçon. Ses grandes ailes battaient l'air froid et cristallin en rythme.

– Tu as été témoin de mon éclosion et j'ai toujours veillé sur toi, dit-il.

Maintenant, tu as vraiment besoin de moi, alors me voici.

– Mais où allons-nous ? demanda Spic qui ne voyait rien d'autre que l'immensité du ciel.

– Pas « nous », Spic, dit l'oisoveille, mais toi. Ton destin t'attend par-delà les Grands Bois.

Puis les serres s'ouvrirent et, pour la seconde fois, Spic tomba. Tomba, tomba, tomba, jusqu'au moment où...

CRAC !

Tout s'obscurcit.

Spic courait dans un long couloir noir. Il franchit une porte et fit irruption dans une pièce obscure. Dans un coin se trouvait une armoire. Il en ouvrit la porte et s'enfonça dans les ténèbres plus épaisses encore à l'intérieur. Il cherchait quelque chose ; c'est tout ce qu'il savait. Il y avait un manteau suspendu à un cintre, à l'intérieur de l'armoire. Spic en tâta les poches. Ce qu'il cherchait n'y était pas. Il s'enfonça dans une obscurité plus intense encore et finit par trouver un petit sac dans le fond. Il l'ouvrit et plongea dans le noir plus noir que noir qu'il contenait.

Au fond du sac, il découvrit un bout d'étoffe. Le tissu lui parut familier au toucher. Il en sentit les coins entortillés, mâchonnés. C'était son foulard, son châle. Il le prit et le porta à son visage, et là – le regardant depuis l'ombre du tissu – il y avait un visage. Son visage. Il souriait. Spic lui sourit aussi.

– Moi, murmura-t-il.

– Est-ce que ça va ? demanda le visage.

Spic hocha la tête.

– Est-ce que ça va ? répéta la voix.

– Oui, répondit Spic.

La question se fit entendre une troisième fois, et Spic prit conscience que la voix ne provenait pas du foulard, mais de quelque part derrière. Ses paupières s'ouvrirent dans un battement de cils. Devant lui se dressait une grosse figure rouge et velue. Elle avait l'air inquiet.

– Tom ! s'exclama Spic. Tom Gueulardeau.

– Lui-même, concéda le pirate du ciel. Vas-tu me répondre, à la fin : est-ce que ça va ?

– Je… je crois que oui, dit Spic en se redressant sur les coudes. Rien de cassé, en tout cas.

– Comment va-t-il ? lança Lapointe.

– Ça a l'air d'aller, lui répondit Tom.

Spic était allongé sur un matelas de voiles, sur le pont du navire volant. Il se releva et regarda autour de lui. Le pilote de pierres mis à part, tous les pirates étaient présents : Lapointe, Strope Dendacier, Slyvo Split, Jobard (enchaîné au mât), Hubby et, tout près, le capitaine, Quintinius Verginix, le Loup des nues. Son père.

Le Loup des nues se pencha et toucha le foulard de Spic. Celui-ci eut un mouvement de recul.

– Du calme, fit le capitaine d'une voix douce. Personne ne te fera de mal, mon garçon. On dirait bien qu'on ne pourra pas se débarrasser de toi comme ça.

– J'ai jamais rien vu de pareil, capitaine, intervint Tom Gueulardeau. Il est carrément tombé du ciel… en plein sur le pont. Y a pas d'erreur, on navigue dans un drôle de ciel…

– Assez bavardé, coupa durement le capitaine. Retournez à vos postes, tous autant que vous êtes. Il faut qu'on arrive à Infraville avant la tombée de la nuit.

L'équipage se dispersa.

– Pas toi, fit plus calmement le capitaine en posant la main sur le bras de Spic pour l'empêcher de s'éloigner.

Spic se retourna.

– Pourquoi m'avez-vous abandonné ? demanda-t-il, la bouche sèche, la voix cassée.

Le capitaine le regarda bien en face. Son visage pareil à un masque ne trahissait aucune émotion.

– Nous n'avions pas besoin d'un matelot supplémentaire, dit-il simplement. Et puis je n'ai pas pensé que la vie de pirate pourrait te convenir.

Il s'interrompit. De toute évidence, quelque chose lui pesait.

Spic attendit que le capitaine reprenne la parole. Il se sentait intimidé, maladroit. Il se mordilla l'intérieur des joues. Le capitaine se pencha vers lui et plissa son œil unique. Spic frissonna. Il sentit un souffle chaud et rauque contre son oreille, et les favoris du capitaine qui lui chatouillaient le cou.

– J'ai vu le châle, confessa-t-il tout bas pour que seul Spic puisse l'entendre. Ton foulard. Celui que Maria, ta mère, a confectionné. Alors j'ai su qui tu étais... Après toutes ces années.

Il se tut. Sa lèvre inférieure tremblait.

– C'était plus que je n'en pouvais supporter. Il fallait que je m'en aille. Je... je t'ai abandonné. Pour la seconde fois.

Spic s'agitait. Il avait le visage rouge et brûlant.

Le capitaine posa ses mains sur les épaules de Spic et plongea son regard dans le sien.

– Cela ne se produira pas une troisième fois, assura-t-il à mi-voix. Je ne t'abandonnerai plus jamais.

Puis il prit son fils dans ses bras et le serra contre lui.

– À partir de maintenant, nos deux destins sont unis, chuchota-t-il avec ferveur. Toi et moi, nous parcourrons les cieux ensemble. Toi et moi, Spic. Toi et moi.

Spic ne dit rien. Il en était incapable. Des larmes de joie lui montèrent aux yeux. Son cœur battait si fort qu'il semblait près d'éclater. Il avait enfin retrouvé son père.

Brusquement, le capitaine s'écarta.

– Mais tu seras un membre d'équipage comme les autres, ajouta-t-il d'un ton bourru. Alors n'espère pas de faveurs particulières.

– Non, p... capitaine, répondit docilement Spic. Je n'y compterai pas.

Le Loup des nues hocha la tête d'un air approbateur, se redressa et se tourna vers le reste de l'équipage qui, perplexe, contemplait la scène.

– Allons, espèces de fainéants, rugit-il. Le spectacle est terminé. Levez l'ancre, hissez la grand-voile et filons d'ici.

Un chœur de « oui, mon capitaine » fusa, et les pirates du ciel se mirent au travail. Le capitaine, flanqué de Spic, alla prendre la barre.

Enfin réunis, ils étaient côte à côte lorsque le navire prit son essor et s'éloigna par-delà les Grands Bois.

Le capitaine se tourna alors vers son fils.

– Spic, fit-il pensivement, les yeux brillants. Spic !
Enfin, quelle sorte de nom est-ce là pour le fils de
Quintinius Verginix, capitaine du plus beau vaisseau
pirate qui ait jamais écumé le bleu du ciel ? Hein ? Dis-le-
moi.

Spic lui sourit aussi.

– C'est mon nom, dit-il simplement.

TABLE DES MATIÈRES

Il existe une édition grand format
des *Chroniques du bout du monde* :

Achevé d'imprimer en France par Normandie Roto Impression s.a.s.
Dépôt légal : 2e trimestre 2008
N° d'impression : 081160